生成AIで世界はこう変わる

今井翔太

SB新書
642

※本書に記載されている情報は、２０２３年11月時点のものです。

はじめに

私たちは、ほんの少し前までとはまったく別の世界に生きています。とある技術の革命をめぐって、信じられないほど多くのことが起こっています。

ニュースや新聞では毎日、その技術の動向が報じられています。世界中の企業が、その技術を使って新しい事業を開拓できないかと使い道を模索しています。その技術を使った驚くべきサービスが毎日のように開発されています。研究者たちは、その技術によって長年の夢がまさに実現しつつあることに狂喜しながら、とてつもない速度で研究成果を量産しています。一部の人は、「人類の歴史の転換点だ」とまで言っています。

しかし、良いことばかりでもないようです。もはや従来の教育は役に立たないという議論が起きています。今度こそ、本当に自分たちの仕事がなくなってしまうかもしれないという空気が蔓延しています。クリエイターたちは、自分たちの創造的な仕事に対する脅威になりうると感じています。インターネット上に流れるデータは、もはや何が本物で何がつくられた偽物なのか、見分けがつきません。研究者や政治家は、この技術の発展が「人類にとって取り返しのつかない事態を引き起こすかもしれない」と真剣に議論しています。

この歴史的な技術革命の主人公にして、本書のテーマである技術こそが「生成ＡＩ（Generative AI）」です。

「ある技術が歴史の表舞台に登場したときの世間の反応」という観点で見ると、生成ＡＩは良い面も悪い面も含めて、おそらくこれまでで最も大きな反応を引き起こした技術ではないかと思います。

２０２２年11月に公開された言語生成ＡＩであるChatGPTは、史上最速（５日！）

で100万人のユーザーを獲得したサービスとなり、生成ＡＩブームの火付け役となりました。

また、ChatGPTと連動する形で、画像や音声などさまざまな分野の生成ＡＩも爆発的に普及し、プロが生み出すのと遜色《そんしょく》ない品質の生成物が大量に生み出されていま す。生成ＡＩが生み出すであろう莫大な恩恵を享受しようとする流れと、脅威を抑えようとする流れが交錯し、混沌《こんとん》とした渦《うず》をなしています。

ここで簡単に自己紹介をしますと、私は東京大学松尾研究室に所属し、ＡＩ、特に生成ＡＩのコア技術でもある「強化学習」を専門に研究しています。研究室の教授である松尾豊は、国のＡＩ戦略会議の座長を務めるなど、以前から積み上げてきた研究や教育、社会実装の知見を活かし、この生成ＡＩブームに幅広く関わってきました。私自身も、積極的に生成ＡＩの研究成果や研究室内の知見を発信しています。

本書は、これまでの研究によって得られた知見をベースに、研究者として生成ＡＩの登場初期からその発展を追ってきた私の視点を加え、この生成ＡＩ革命において知っておくべき技術・影響・未来についてご説明していきます。

ただ、生成ＡＩの技術とそれを取り巻く社会情勢は、１つの技術に関するものとしては信じられないスピードで変化しています。単に今ある技術やそれを利用したツールの使い方、社会的状況を説明したとしても、すぐに陳腐化してしまうでしょう。

そのため本書では、今後普遍的に重要だと考えられる生成ＡＩの技術的基礎と、確実に起こるであろう社会的影響の話題に集中して取り上げることにしました。

人類史に残るであろうこの一大イベントのなか、このような本を書けることは幸運であると同時に、大きなプレッシャーを感じる行為でもありました。本書が、これから生成ＡＩ革命を生きるみなさんのバイブルになることを心より祈ります。

第1章 「生成AI革命」という歴史の転換点

生成AIは人類の脅威か？ 救世主か？

第2章

生成AIの背後にある技術

塗り替わるテクノロジーの現在地とは？

第3章

AIによって消える仕事・残る仕事

生成AIを労働の味方にするには？

第4章

AIが問い直す「創作」の価値

第5章

生成AIとともに歩む人類の未来

「言語の獲得」以来の革新になるか？

特別対談

松尾豊×今井翔太
生成AI時代に求められるスキルとマインドとは？

第1章

「生成AI革命」という歴史の転換点

生成AIは人類の脅威か？　救世主か？

「生成AI」とは何か？

本書での議論を進める前に、改めて生成AIとはなんなのか、何ができるのかを説明しておきます。

まずは、生成AIの定義を示しておきましょう。私が説明してもいいのですが、せっかくの機会なので、生成AIに自分自身の説明を聞いてみました。

生成AIは、人間が行うような新たなアイディアやコンテンツをつくり出す能力を持つ人工知能の一種です。これは一般的に機械学習、特に深層学習の手法を用いて実現されます。その応用範囲は広く、文章の作成から音楽、絵画、デザイン、ゲームのレベル設計、さらには科学的な仮説の生成まで、人間の創造性が求められるほとんどすべての分野に及びます。

生成AIの1つの重要な特徴は、大量のデータからパターンを学習し、それをもとに新たな出力をつくり出すことができる点です。たとえば、文章生成ＡＩは、何百万もの文書から文法や語彙、文章の構造などを学習し、それに基づいて新たな文章を生成します。同様に、画像生成ＡＩは、大量の画像から色彩や形状、テクスチャなどのパターンを学習し、それをもとに新たな画像を生成します。

しかし、生成ＡＩが「創造的」であるということは、それがまったく新しいアイディアやコンテンツを無から生み出すという意味ではありません。むしろ、既存のデータからパターンを学習し、それらを組み合わせて新たな出力を生み出すというプロセスを指します。この点は、人間の創造性と多くの類似点を持っているとも言えます。なぜなら、人間も、これまでに経験や学習した情報をもとにして新たなアイディアを生み出すのですから。

また、生成ＡＩの潜在的な力を引き出すためには、それが働くフレームワークやルールを設定することが重要であり、これを適切に行うことで、ＡＩの創造性を制御したり、指導したりすることが可能になります。

〈ChatGPTによる回答を引用〉

ＡＩを研究している身から見ても、ほぼ１００点満点の回答です。２０２２年以前であれば、研究者でも一般の方でも、驚きひっくり返っていたような完璧な文章です。全体的な説明はこれで十分ですが、本書で議論を進めるためには少し足りない部分があるので、私のほうから補足します。

ChatGPTが説明してくれた通り、生成ＡＩは新たに文章や画像、音声などをつくり出すことができる人工知能技術の一種です。ディープラーニング（深層学習）は、機械学習という人工知能の要素技術のなかでも、特に人間の脳を模倣した深いニューラルネットワークを学習する手法を指し、現在の生成ＡＩはこのディープラーニングによって実現されています。

ディープラーニングや機械学習のアプローチは、一般的に識別的なものと生成的なものに分けられます。専門用語ではこれらを識別モデル、生成モデルと呼びます。

識別モデルは、画像のようなデータを文字通り「識別」するＡＩを指し、顔認証やニュース記事の分類など、これまでにも馴染み深いＡＩはこちらに属します。

一方で生成モデルは、データが生み出される背後にある構造や表現を学習し、自身が学習したデータと似たデータを生成できるＡＩを指します。生成ＡＩは一般的に、生成モデルのアプローチに属するものです。

ただし、実は「生成ＡＩ」という言葉は、研究者の間で元から使われていた用語ではありません。文章生成ＡＩや画像生成ＡＩなどの技術が同時進行的に普及した結果、それらをまとめて呼称するために特にメディアが使い始めた用語であり、先ほど説明した生成モデルとは厳密に対応しない部分もあります。

また、本書で言及する生成ＡＩはもう少し広い概念として考えます。具体的には、生成ＡＩの本体であるニューラルネットワークに加え、そのニューラルネットワーク出力を起点にいくつかのツールや機能を組み合わせて構成される生成システムも含めて「生成ＡＩ」と呼称します。

最も有名な生成ＡＩであるChatGPTも、言語を生成する本体は言語モデルと呼ばれるニューラルネットワークですが、対話形式のインターフェースや拡張機能などは、システム的に実装されたものです。

「この世にない新しいもの」を生み出せる

生成ＡＩは、元々は人間が生み出した文章や画像、音声などの膨大なデータから学習します。しかし、生成ＡＩの出力は、学習元となったデータをただ真似るのではなく、背後にある本質的な構造や表現をとらえ、新しいものを生み出すことができます。

生成ＡＩに何かを生成させるとき、生成したいものを指定する入力文を「プロンプト」と言います。そのプロンプトで指定する内容が、実世界には存在しえないもの、人間が今まで生み出したことがない新しいものであっても、生成ＡＩはその指定された対象を生成することができます。

次の図1-1は、生成ＡＩに対し、「バットで地球に飛来した隕石を打ち返そうとする猫」とプロンプトを入力し、生成させたイラストです。このプロンプトでは、実世界には存在しないであろう荒唐無稽な概念を指定していますが、画像の生成ＡＩは学習した概念を組み合わせた画像を生成しています。

生成ＡＩへの入力は、プロンプトのような文章であるとは限りません。画像を入力

図1-1　生成AIによる「バットで地球に飛来した隕石を打ち返そうとする猫」の画像

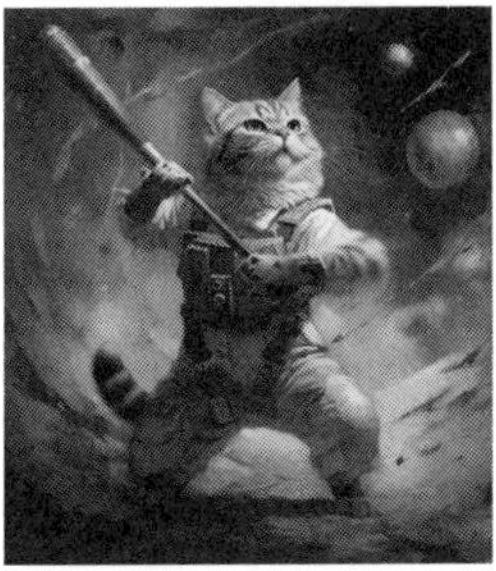

出典：「Midjourney」にて筆者作成

図1-2　生成AIによって図1-1の「猫」を「犬」に変えた画像

出典：「Midjourney」にて筆者作成

として、新しい画像を生成することも可能です。図1-2は、先ほど生成した「バットで地球に飛来した隕石を打ち返そうとする猫」を「犬」に変えた画像です。

次ページの図1-3は、「こんな感じのサイトをつくりたい」と紙切れに書いたものをスマートフォンで撮影し、その写真をGPT-4Vに入力した場合の出力です。手書きのラフは粗雑なものですが、それをもとに出力されたHTMLやJavaScript（Webページを作成するためのプログラミング言語）のコードをそのまま貼り付けて開いてみると、見た目のみならず機能面も含めて再現されています。これなら誰でもお絵描

図1-3　手書きラフから生成AIを用いてWebページを作成

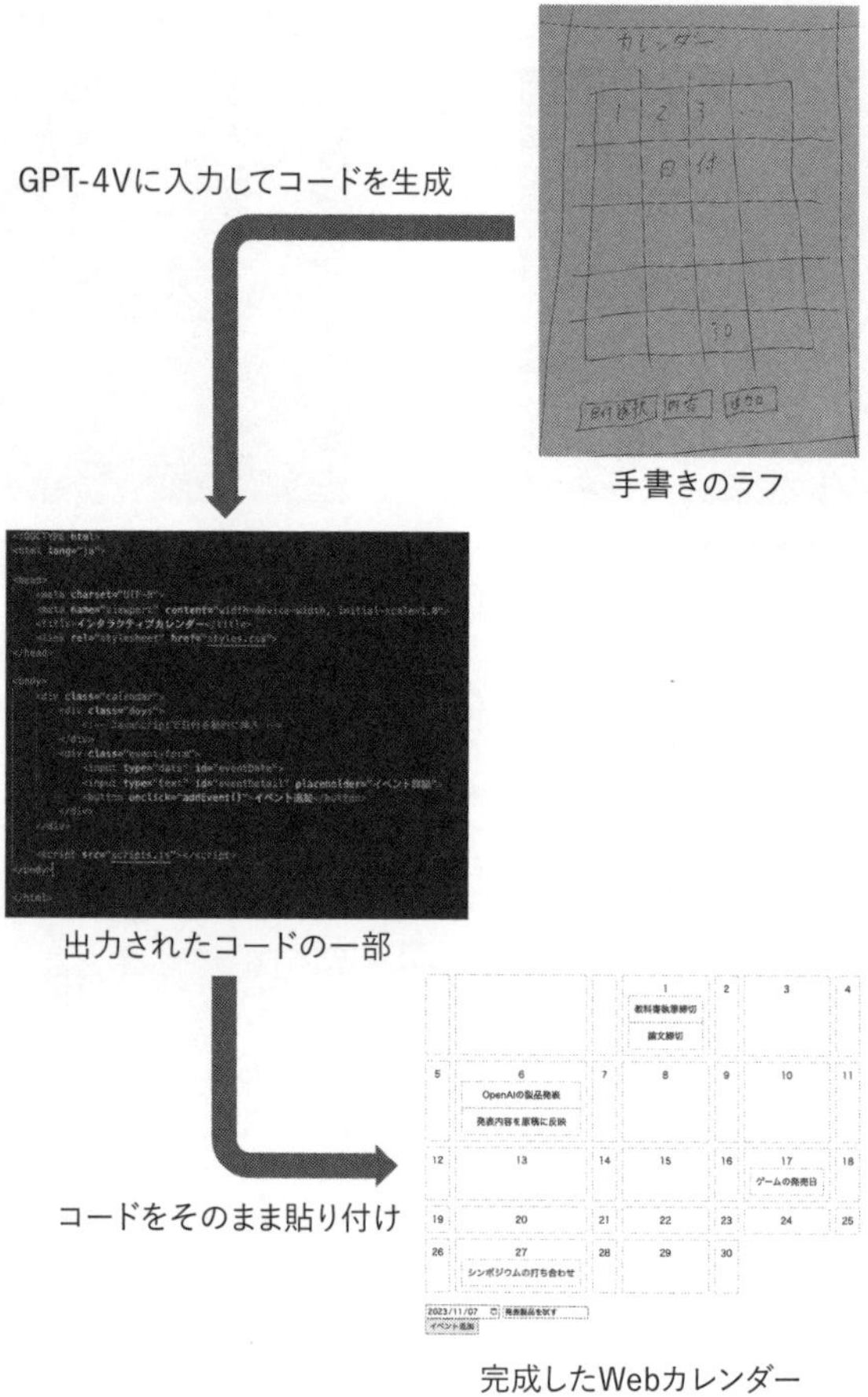

出典：「GPT-4V」にて筆者作成

図1-4　生成AIによって線画から着色

線画をもとに高品質な着色が可能

出典：「Stable Diffusion」にて筆者作成

図1-5　生成AIによって画像をもとに加工

画像の一部から拡張する加工（アウトペイント）が可能

出典：「Midjourney」にて筆者作成

き感覚でアプリケーションをつくれそうです。

生成ＡＩが出力できるのは、単なる文章や画像、プログラミングコードに限りません。生成ＡＩを拡張した機能を使えば、大学の講義で使用するような教材をゼロから生成することもできますし、線画イラストへの着色（図1-4）、画像をもとにした部分的な加工（インペイント）や付け足し（アウトペイント／図1-5）も自動で行えます。

ここでご紹介した以外にも、自分の声を好きな声質や言語にできる音声生成ＡＩ、動画・アニメーション、３Ｄモデル、さらには分子構造といったものを出力できる生成ＡＩなど、さまざまな生成ＡＩがすでに存在します。

ChatGPTは「汎用技術（ＧＰＴ）」？

生成ＡＩ、特にChatGPTのような言語生成ＡＩは、「汎用技術（ＧＰＴ：General Purpose Technology）」と考えられます。

汎用技術とはその名の通り、さまざまな領域で広範な応用が可能な技術を指します。たとえば、電気やインターネットは汎用技術の典型です。どちらも広範囲の産業で利用され、社会全体の生産性を向上させるための基盤となっています。

言語生成ＡＩをＧＰＴと見なす考えは、OpenAI社らによる「GPTs are GPTs」というジョークのようなタイトルの研究論文でも述べられています。「ChatGPT」という名前にある「ＧＰＴ」とは、汎用技術を意味する「ＧＰＴ」ではなく、「Generative Pre-trained Transformer」を略したものなのですが、要するにこの論文ではそれが汎用技術であると主張しているわけです。

言語の理解と生成は、コミュニケーション、情報処理、意思決定といった多くの領域で中心的な役割を果たすため、そうしたタスクを自動化または支援する能力は、電気やインターネットと同様に産業全体、社会全体で利用可能です。実際にChatGPTは、カスタマーサービスの自動化から、文章の生成、教育、研究、エンターテインメントまで、多岐にわたる応用が可能です。

ChatGPTのような言語生成ＡＩは、単に生成を行うＡＩの域を超えて、総合的に地球上で最も賢い知的存在、とまで言えるかもしれません。

ChatGPTに搭載されている最新の言語モデルであるGPT-4は、すでに司法試験や医師国家試験に合格できるレベルに達しています。数学、化学、物理、歴史など大学受験の主要な科目のほとんどの問題でも、人間より上のレベルの解答ができます。英語から日本語、アラビア語まで30近い言語を操ることができ、プログラミングについてもGoogleのコーディングテストをパスできるレベルです。さすがに一人でこれと同じことができる人間が地球上にいるとは思えません。

史上最速で社会変化をもたらす「生成AI革命」

歴史上、汎用技術とされる技術の登場直後は、その技術が良くも悪くも社会に多大な影響を及ぼし、以降の人類発展の方向を決定づける契機となっています。

ただ、これまでの汎用技術で起こった変化も長期的に見て大きなものではありましたが、その変化のスパンは数十年から数百年単位というものでした。それらの汎用技術が登場した時代の人が1、2年後にタイムスリップしても、社会構造が激変していると感じることはなかったはずです。産業革命は18世紀中盤から19世紀にかけての長い期間を経て、社会の生産構造を変えました。インターネットの登場は20世紀中盤でしたが、一般家庭に普及し始めたのは21世紀に入る直前でした。

一方、生成ＡＩはその影響があまりにも大きく、これまでの汎用技術とは比較にならない速度で変化が起きています。２０２２年前半の私を、２０２３年の現在に連れてきたらどうでしょうか。ネット記事やＳＮＳ、新聞の見出しなどを見て、どれだけびっくりするか想像もつきません。

昨年に生成ＡＩ革命が起こってから、本書の執筆段階までに起きたことのみを挙げても、すでに数十年分の技術革命があったかのような様相です。

ChatGPTの発表直後、Google社は社内にコードレッド（厳戒警報）を発令したとされています。ChatGPTの出現が、Google社の検索事業に深刻な影響を与えると判断されたためです。実際、Google社に対抗するMicrosoft社は、すぐに検索エンジン「Bing」にChatGPTを搭載し、Google検索エンジンを追いかけています。１つの技術によって、突如、世界一の企業の地位が脅かされる事態になっているのです。

そのMicrosoft社は、私たちが普段利用するパワーポイントやワード、エクセルなど、ほとんどのビジネス製品に生成ＡＩを搭載すると発表しました。私たちの生産作業が根本から変わろうとしています。

画像生成ＡＩで生み出したアートは、アメリカの芸術コンテストでグランプリを獲得し、ドイツの世界的な権威ある写真コンテストで入賞するレベルに達しています。突如として、すべての人間に、今までのプロクリエイター並みの作品を生み出す力が解放されたと言っていいでしょう。

教育も生成ＡＩで大きく変わろうとしています。東京大学をはじめとする国内の各大学は、生成ＡＩの利用に関する声明を発表しています。問題への解答やレポートの作成に生成ＡＩが使われる事態は容易に想像でき、従来の教育方法は成立しなくなるでしょう。生成ＡＩに聞けば大体の疑問は解決し、対話的な議論も可能なことから、現在のように教員が生徒に知識を与える教育形式にも変化が起きるかもしれません。

すでに生成ＡＩは、世界中のリーダーの主要な関心事となっています。２０２３年

5月に開催された広島サミットでは、生成ＡＩが議題に上り、首脳宣言のなかで生成ＡＩの議論を進めるための「広島ＡＩプロセス」を立ち上げることが発表されました。同年7月には、東京大学で日本国内の政治、学術、経済界のリーダーが集まったシンポジウムが岸田文雄内閣総理大臣出席のもと開催され、今後の国内の生成ＡＩの取り組みについて議論されました。

一方で、生成ＡＩがもたらす脅威も無視できません。

ＩＢＭ社は一部職種の業務が生成ＡＩによって代替できるとし、採用を凍結。雇用削減を行うことも示唆しています。その他の企業でも、カスタマーサポートなど、生成ＡＩによって代替可能な職種すべてを解雇するといった動きが出始めています。

中国では、画像生成ＡＩの活用により、イラストレーターへの報酬が10分の1になったという事態が報告されています。ハリウッドでは、脚本をＡＩにつくらせる動きに反発し、映画脚本家らがストライキを起こしています。

政治の世界でも、アメリカの大統領選挙に関連し、対立陣営の存在しない写真を生成して煽動《せんどう》するような行為が報告されています。生成ＡＩを使って声を変換した電話による、詐欺や政府高官へのなりすましといった事件も発生しています。

人間を超えた「超知能」の誕生も現実的に

世界中で生成ＡＩによる変革が起きていることはご理解いただけたと思います。それでは、当のＡＩ研究者は、この生成ＡＩ革命に対してどのような態度で臨んでいるのでしょうか。

一言で言うと、過去に類を見ないほどのお祭り騒ぎです。

生成ＡＩに関する論文がすさまじい勢いで量産されています。１ヶ月、１週間どころか、２日や３日で常識が覆《くつがえ》ることも少なくありません。Google社が生成ＡＩに関する重大な告知をした数時間後に、OpenAI社がGPT-4を発表して何もかもがひっくり返ってしまったことがありました。私が研究機関で講演をしている最中に、講演で言及していたトピックが更新されてしまったこともありました。

あまりにも発表される論文が多すぎて、研究者でさえ消化しきれていません。ＡＩ研究と言っても、分野はかなり細分化されていて、本来は生成ＡＩとはあまり関係がないＡＩ研究も多く存在します。ところが今や、各分野の研究者が一斉にそれぞれの専門知をもって生成ＡＩにアプローチしています。

研究者たちは、自分たちの研究がある日突然ひっくり返されてしまう恐怖感と、後世に語り継がれるであろう劇的な時代にめぐり合えた幸福感の狭間にいます。

ＡＩ研究者の究極目標は、汎用人工知能（ＡＧＩ：Artificial General Intelligence）の実現です（矛盾するようですが、その実現は最大の懸念点でもあります）。ＡＧＩとは、人間の知能と同じく汎用的な知能処理ができる人工知能を指します。

人間の知能は、言語の使用、視覚処理、運動、ゲームプレイなど、さまざまなことを行える、まさに「汎用的」なものです。そもそも人工知能の研究は、機械によってこれを実現することを目標に掲げて始まりました。

70年にわたるＡＩ研究のなかで、汎用的ではない「特化型人工知能」は、囲碁のチャンピオンを倒した「AlphaGo」をはじめ、高性能なものがいくつか登場しましたが、ＡＧＩはまだ登場していません。

少なくとも２０２２年まで、ＡＩ研究者コミュニティにおけるＡＧＩの話題は、「いつできるのか」という議論とともに、「本当に（われわれが生きている間に）実現できるのか」という議論に二分される状況でした。実現できると信じている人たちの間でさえ、「２０３０年代には実現できる」と言ったら、「それはさすがに早すぎるのではないか？」という見方が普通だったと思います。「30年先なのか？」「50年後なのか？」「いや、それ以上かかるのではないか？」そのような感覚が当たり前でした。

しかし、ChatGPTから始まった生成ＡＩ革命ですべてがひっくり返りました。現在、ＡＩ研究者のなかで「ＡＧＩは実現できない」と考える人はほぼいないでしょう。ＡＧＩが実現されることはほとんど確定的であり、あとはその実現が10年後なのか？それとも5年後なのか？　という議論になっています。

そして、今やＡＧＩの枠を越え、人間の知能を超えた超知能（Superintelligence）

の実現すら真剣に議論されています。ChatGPTを開発したOpenAI社は、未来の超知能の実現を見すえて、ＡＩ開発におけるＩＡＥＡ（国際原子力機関）のような機関の設立を訴え、自らも超知能を制御する研究に着手すると発表しています。

ディープラーニングの生みの親であり、「ＡＩのゴッドファーザー」とも呼ばれるジェフリー・ヒントンは、２０２３年4月、10年近く勤めたGoogleを突然退社しました。生成ＡＩを見てＡＩ開発の危険性を感じ、より自由な立場で活動したくなったからだとコメントしています。生成ＡＩの開発を核戦争にたとえ、開発の競争の激化は避けられないとしながらも、人類にとって取り返しのつかない結果を避ける取り組みが必要だと警告しています。

それでは、ＡＩ研究者は実際のところ、この生成ＡＩ革命の先にある未来を正確に見通しているのでしょうか。答えはノーです。あのヒントンですら、「われわれには何が起きるのかわからない」「霧の中を運転しているような感じだ」と答えています。それは私の周囲の研究者を見ても同様です。ＡＩに対する脅威論が盛んに語られているのも、この不確実性の表れでしょう。

本書の目的と構成

確かにAIを研究している身であっても、生成AI革命の先に何が起こるのか、正確に予想することはできません。それでも、やはりAIについて一番考えているのはAI研究者です。

改めて本書の目的は、これまでに多くの研究者によってなされた膨大な研究を下敷きに、この生成AI革命のなかで知っておくべき技術、影響、未来に関して論じるものです。この生成AI革命のなかで「どう生きるか」を考える材料をみなさんに提供する、と言い換えてもいいかもしれません。

本書では、その影響を短期的なものと長期的なものに分けて考察していきます。ともすれば研究者は、長期的な視点で期待や脅威論を語りがちです。「答え合わせ」がずっと先にあるため、ある意味でこれは気楽な行為かもしれません。

しかし、生成AIに関しては、すでに本書執筆の時点でも多くの分野で実際的な影響が出始めています。本書を読んだ人がまさに今関わっている、あるいは数年以内には確実に関わるであろうこの技術に関して、そのような悠長な議論をしている猶予《ゆうよ》はありません。ＡＩを研究する身としては、生成ＡＩのポジティブな面のみを強調したいところですが、考えられるリスクについても隠さずお話しするつもりです。

そして、本書で強調したいもう１つの視点があります。技術的なツールとしてだけでなく、この世界に初めて誕生した（または、するかもしれない）人間と同等以上の「知的存在」として、生成ＡＩを考えるというものです。その発展の速度を考えると、現代を生きる私たちは、歴史上で初めて人間より賢い存在を目撃する可能性がありま す。それが最終的に「生成ＡＩ」と呼ばれているかどうかはわかりませんが、少なくとも今の生成ＡＩ技術がベースになることは間違いありません。

本章以降の各章は、生成ＡＩについてそれぞれ独立した話題を扱っています。もちろん筆者としてはすべて読んでいただきたいところですが、興味がある章だけ読んでいただいても差し支えありません。

第２章は、現在における主要な生成ＡＩの技術を解説します。数学を使わず、どんな人にも理解できる説明を心がけました。生成ＡＩを使う側、その影響にさらされる側、どちらに回るにしても技術の正しい理解は必要です。生成ＡＩは使う側の人間の工夫次第で出力がまったく異なってきます。また、必要以上に脅威を訴えて不安を煽《あお》る動きや法律上の論争などが多く発生しています。正しく技術を理解することで、冷静な視点で生成ＡＩの影響を評価できるようになります。

第3章は生成ＡＩが仕事と暮らしに与える影響、第4章は生成ＡＩが文化・芸術に与える影響が話題の中心です。今を生きているわれわれが確実に直面する短期的視点での影響と、技術的ツールとしての生成ＡＩに関して論じています。おそらく、多くの人に最も関係があるのはこの部分でしょう。

第5章では、長期的な視点で生成ＡＩの発展の方向や人類との関わりについて論じます。ここはＡＩ研究者のなかでも意見が分かれているところで、人によって独自の未来予想を持っていると言っていいでしょう。そのなかにはトンデモな説もあります。できるだけ妥当な研究や説を参考に議論を展開するつもりではありますが、話題の性質上、不確実な要素や私個人の解釈も多くあります。他の章とはだいぶ趣《おもむき》が異なりますが、私個人としては一番楽しく自由に書かせてもらった部分です。

本書の最後には、私が所属する研究室の長《おさ》であり、ＡＩ研究者としての師である松尾豊氏との対談を収録しています。

第2章

生成AIの背後にある技術

塗り替わるテクノロジーの現在地とは?

第一次ブームの「探索と推論」第二次ブームの「エキスパートシステム」

本章では、生成ＡＩの技術について解説していきます。

ただ、すでに述べた通り、生成ＡＩの技術はすさまじい速度で発展しており、1週間前、下手すれば数日前の知識が今日には古くなっているという勢いです。このような変化のなかで技術について解説しても、すぐに時代遅れになってしまう可能性があります。そのため、ここでは研究者の視点から以下のような技術を解説していきます。

①今後も継続して使用されると思われる重要技術
②「知能」を生み出すために本質的であると思われる技術
③現時点では発展段階だが、将来的に確実に重要な役割を果たすと思われる技術

ただ生成ＡＩの影響や有効な使い道を知りたいだけで、その中身については興味がないという方は、この章を飛ばしていただいても構いません。

さて、生成ＡＩは、その性能から突然別次元の技術が出てきたように思われがちですが、その基盤となっている技術はこれまでの人工知能研究の延長線上にあるものです。そこで、まずは以降の生成ＡＩの説明を理解するための最低限の知識として、現在の生成ＡＩの基盤技術となっているディープラーニング（深層学習）が登場するまでの歴史的経緯と、ディープラーニングの仕組みについて簡単に解説していきましょう。

「人工知能（ＡＩ：Artificial Intelligence）」という言葉は、１９５６年にアメリカで開かれたダートマス会議において、コンピュータ科学者のジョン・マッカーシーが使ったのが初出とされています。世界初の汎用コンピュータの登場は第二次世界大戦直後の１９４６年ですので、「計算機に知能を持たせることができるのでは?」という発想は、コンピュータの歴史の初期から存在したことになります。

ＡＩという言葉の誕生から、１９７０年ごろまでの時期が第一次ＡＩブームとされています。初期のＡＩが得意としたのが「探索と推論」です。この時期のＡＩは、たとえば迷路やボードゲームなどの問題を解くために、人間のほうでＡＩが理解しやすいようにツリー構造などで記述したうえで、ＡＩがその構造のなかで良さそうな行動を探す（探索）、ということをやっていました。

この探索が得意なＡＩは、コンピュータが元々得意な高速計算の能力を問題解決に素直に応用したものと言えます。ブームの時期とは少しずれますが、この探索と推論のアプローチによって実現されたＡＩ「ディープブルー」が、１９９７年に当時のチェスのチャンピオンを打倒することに成功しています。

しかし、そもそも世の中にはこのような探索で解ける問題は意外と少なく、このタイプのＡＩが力を発揮できる状況は限定的であることが次第に明らかになり、ブームは下火になりました。

次の第二次ＡＩブームは、１９８０年から１９９０年ごろまでの時期です。第二次ブームでは、ＡＩに「知識」を与えるアプローチが主流でした。つまり、人間が持っている知識をひたすらＡＩに詰め込めば、人間レベルに賢いＡＩができるはず、という発想です。

この時期には、ChatGPTのように人間と対話ができる対話ＡＩのようなものも開発されています。この対話ＡＩは、考えられる限りの質問に対して、正しい回答（知識）をあらかじめすべてプログラムするというものです。たとえば、法律や病気の質問に答えられる対話ＡＩで、これは「エキスパートシステム」とも言われていました。

しかし、このアプローチも、世界の知識に限りがないこと、時に知識同士に矛盾が生じること、そもそも高度な知識をいちいち記述するのはコストがかかること、などの問題があり、ブームは去っていきました。

第三次ブームを起こした「ディープラーニング」とは？

２０１２年ごろから、いよいよ生成ＡＩの技術基盤ともなっているディープラーニングを中心とした第三次ＡＩブームが始まります。第一次、第二次ブームでは、人間が問題を整えたり知識を与えたりと、機械自身が自主的に何かを学ぶことはありませんでした。しかし、第三次ブームでは、大量のデータを与えながら、機械が自動的に問題の解き方を学習する「機械学習」のアプローチが主流になります。

この機械学習を、人間の脳をコンピュータ上で再現した「深い（Deep）」人工ニューラルネットワークで行うのが、「ディープラーニング」です。

人間の脳の最小構成要素は、ニューロン（神経細胞）です。人間の脳の知能処理では、ニューロン同士がシナプスを介してつながりながら、他のニューロンから受け取った電気信号をシナプスの結びつきの強さで調節し、また別のニューロンに電気信号を流すという動作が行われています。人間は学習によって、このニューロン同士のつながりの強さを調節していると考えられています。

人工ニューラルネットワークは、このニューロンの電気信号の処理を計算機上で再現したものです。ニューラルネットワークにおけるニューロン同士の結びつきの強さは、「重み」や「パラメータ」と呼ばれており、このパラメータは学習によって変化していきます（図2-1）。

ニューラルネットワークはこのニューロン同士がつながって、入力層、中間層、出力層まで複数の層を形成しています。この層が「深い」のがディープラーニングの特徴であり、この深さにともなってパラメータ数が大きいことが、ディープラーニングの性能の鍵とされています（図2-2）。

入力層にはニューラルネットワークに予測させたい対象、たとえば画像の分類であれば画像を、対話ＡＩであれば人間の文章を入力し、出力層で予測を出力します。ニューラルネットワークを学習させる場合には、ニューラルネットワークの出力と正解データを比較し、その差分からパラメータの調整量を決定します。よく勘違いされますが、ＡＩは学習に使ったデータ自体をデータベースのような形で保持しているわけでありません。あくまでデータは、ニューラルネットワークのパラメータの調整に使われるだけです。

生成ＡＩは、このニューラルネットワークの入力層に、たとえば人間の言語指示（質問や書いてほしい文章の指示、生成してほしい画像の指定など）、出力層に生成対象の数値（文章生成なら次に生成すべき単語の確率、画像生成なら画像のピクセル値や除去すべきノイズ）を取ったものです。

図2-1　人工ニューロンの図

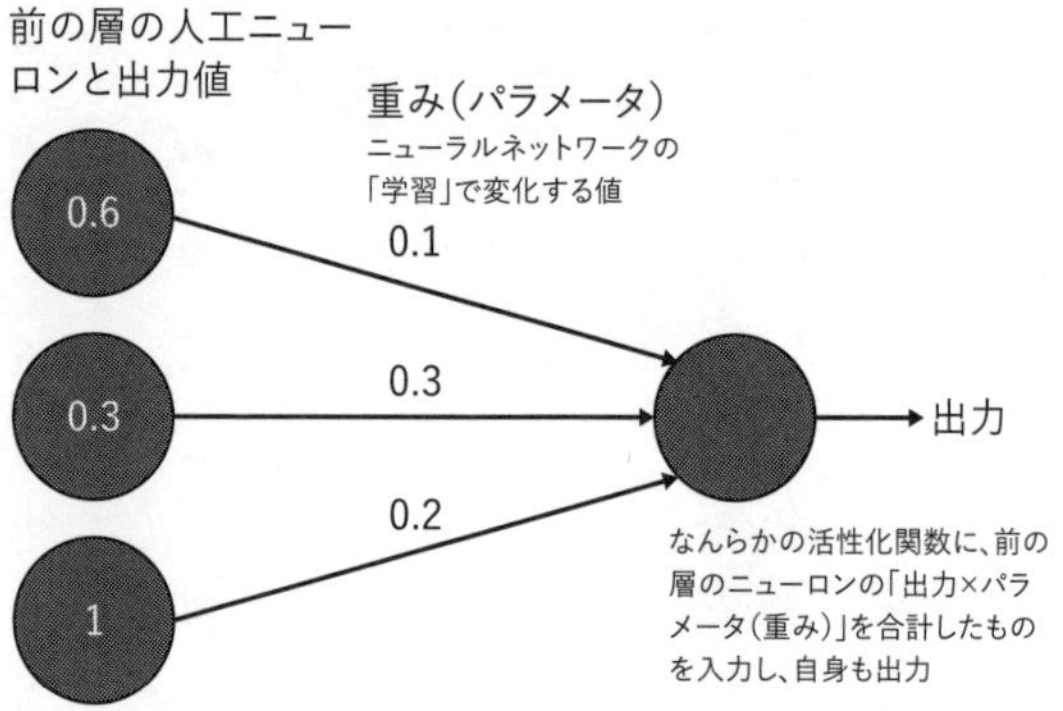

出典：筆者作成

図2-2　人工ニューラルネットワークの図

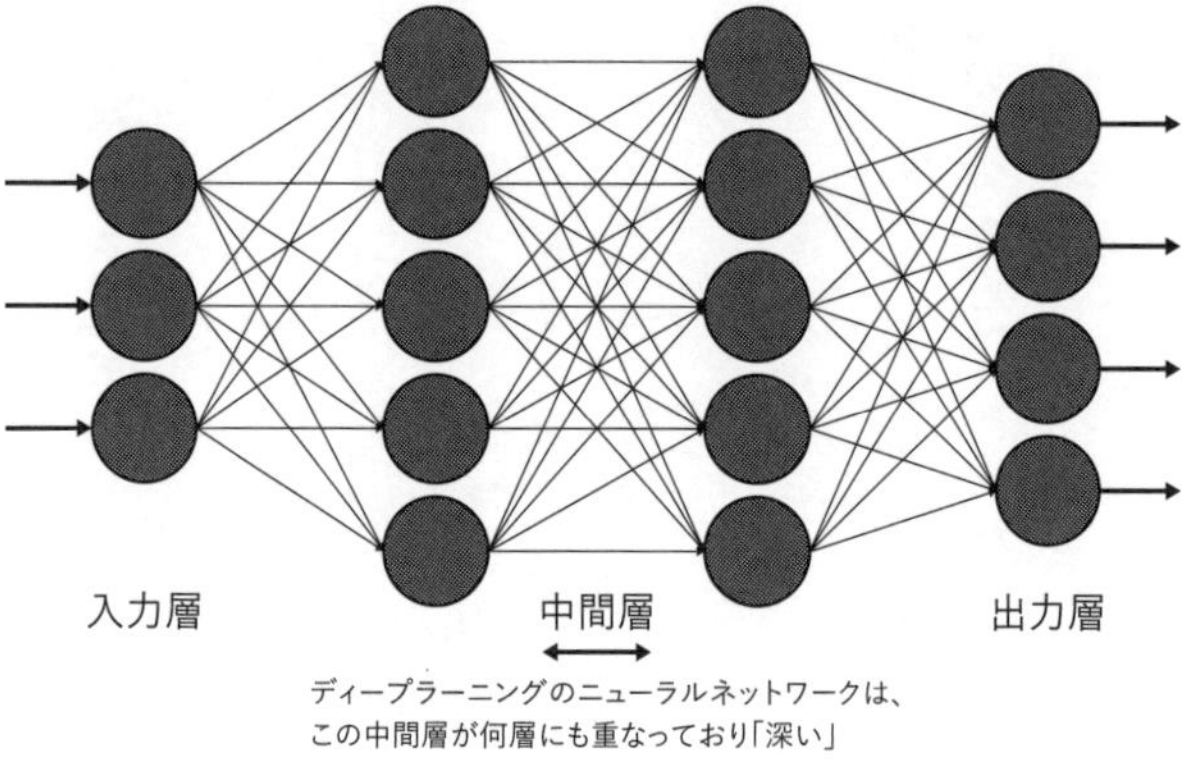

出典：筆者作成

ここまで各ブームを概観し、生成ＡＩは第三次ブームで登場したディープラーニングが基盤技術となっていると説明しましたが、生成ＡＩはその性能と影響がこれまでのディープラーニング技術と比較にならないほど大きいことから、生成ＡＩの登場をもって第四次ＡＩブームが到来したと言っていいでしょう。

機械学習の分類と「自己教師あり学習」

ここで、機械学習の種類を整理しておきます。機械学習は大きく分けて従来の３つに、最近の生成ＡＩで主流となっているもう１つを加えた４つに分類されます。

最も一般的な機械学習は「教師あり学習」です。これは人間が正解データをつくり、そのデータをもとに学習する手法です。２つ目は「教師なし学習」です。これは機械がデータのなかから自動的に特徴を発見し、グルーピングなどを行う手法です。３つ目は「強化学習」です。これは一般的にロボットの制御、ゲームプレイなどＡＩの意思決定タスクに使われる手法で、機械が自律的に環境を探索して得た経験データと、タスクの成功信号である報酬から意思決定則（方策）を学習する手法です。

最後の1つが、最近の生成ＡＩで主流となり注目されている「自己教師あり学習」です。これは先ほど説明した「教師あり学習」のように、一応は教師データが存在するのですが、人間が作成したものではありません。「自己教師」の名の通り、教師データも機械が自動的につくり、その正解データから学習を行います。

たとえば文章生成ＡＩをつくりたい場合、完全な文章の一部を空白にして、空白の部分に元々あった単語を教師データとして、前後の文から空白部分を予測する、といったことを行います。この自己教師あり学習については、以降の各生成ＡＩの技術説明で自然に理解していただけると思います。

ChatGPTはどのように情報処理をしているのか？

ここからは、現在の生成ＡＩの中心技術を解説します。特に言語生成ＡＩに使用される「言語モデル」と、画像生成ＡＩに使用される「拡散モデル」に焦点を当てます。言語や動画像の生成ＡＩ以外にも、音をはじめさまざまな生成ＡＩが開発されていますが、その大半はこの言語モデルや拡散モデルの技術、およびその入力を調整する強化学習などをベースにしたものです。長期的にもこれらのモデルが生成ＡＩの中心技術となると思われます。

なんと言っても、この生成ＡＩ革命の主人公は、言語、文章を生成できるChatGPT（GPT-4）のようなＡＩでしょう。２０２２年11月末に公開されたChatGPTは、ほとんど人間と変わらない文章を生成できる、さらにはプログラミングができる、司法試験や医師国家試験に合格できるなど、その圧倒的な性能が次々に明らかになっています。

ChatGPT（GPT-4）のようなＡＩは、「言語モデル」という技術で実現されています。これらの言語モデルは、先ほどのニューラルネットワークを使って実装されています。そして、その圧倒的な性能の実現に必要なニューラルネットワークのパラメータ数が膨大であることから、このような言語モデルをまとめて「大規模言語モデル（ＬＬＭ

：Large Language Model)」と呼んでいます。
言語モデルを一言で説明すると、「生成される単語・文章に確率を割り当てるモデル」です。わかりやすく伝えるために、ここでは少し変わった説明をします。

突然ですが、これからChatGPTなどが実際に行っている情報処理を、みなさんの頭の中で体験してもらいます。最先端の人工知能だからさぞ難しい情報処理をしているのだろうと思われるかもしれませんが、やっていることは直感的に理解できるものです。

次の文章を読んで、最後の（　）の中に入る単語を考えてください。

〈文章1〉
このりんごは（　）
〈選択肢〉

①アインシュタイン
②黄色い
③おいしい
④行く

さて、それぞれの選択肢を見て、みなさんは何を考えたでしょうか。①はそもそも文章としておかしい。②は文法的には正しそうですが、りんごが黄色いのはちょっと違和感がある。③は正しそうです。④はりんごが主語なので、「行く」のような動詞が入るのはおかしい。たぶんこんな感じのことを考えたのではないでしょうか。これくらいの問題だったら、そこまで深く考えずに選べたかもしれません。

次は、選択肢はそのまま、少し文章の内容を変えた問題を考えてみましょう。

〈文章2〉

農家の友達から普通とは違う色のりんごをもらった。このりんごは（　）

〈選択肢〉

①アインシュタイン

②黄色い

③おいしい

④行く

この問題はどうでしょうか。①と④は引き続き論外でしょう。③は今回も正しそうです。しかし、この文章だと②も正しそうな気がします。「違う色のりんご」という文言を考えると、むしろ通常のりんごと違う色の「黄色い」が正解になってもおかしくなさそうです。今回は②が正しそうで、次点で③もそれなりに正しそう、と考えた方が多いのではないかと思いますが、最終的にどちらを解答するかは人によって分かれそうです。

言語モデルとは「生成される単語・文章に確率を割り当てるモデル」と説明しました。先ほどみなさんは問題を解く際に、選択肢の単語に対して「どの解答が正しそうか」を頭の中で考えていたと思います。言語モデルはこの「どの解答が正しそうか」を確率的な出力に置き換えて計算します。

たとえば、最初の問題と次の問題で、みなさんの頭で考えていたことを言語モデルの出力として確率で表すと、以下のようになります（確率の数値は私が想像したいい加減な値です）。

〈文章1〉
このりんごは（　）
〈選択肢〉

①アインシュタイン［正解の確率　2％］
②黄色い［正解の確率　5％］
③おいしい［正解の確率　90％］
④行く［正解の確率　3％］

〈文章2〉
農家の友達から普通とは違う色のりんごをもらった。このりんごは（　）

〈選択肢〉
①アインシュタイン［正解の確率　2％］
②黄色い［正解の確率　55％］
③おいしい［正解の確率　40％］
④行く［正解の確率　3％］

言語モデルの実現方法はいろいろありますが、ここでは入出力を行うモデルをニューラルネットワークにし、文章を途中まで入力したときに次にくる単語の確率を出力するものを考えます。先ほどは単語の選択肢が4つしかない問題でしたが、ChatGPTなどの言語モデルがやっているのは、辞書に載っている単語すべてを選択肢とした正解単語の予測です。

このように、ある文章に続く単語の確率を出力できるモデルができてしまえば、ChatGPTがやっているように流暢《りゅうちょう》に長文を出力するのは簡単です。

自分が出力した確率に従って解答とした単語を補いつつ、次に続く単語に対する出力を行うという操作を繰り返すことで、文章を最後まで出力できます。ここまでが言語モデルの動作の全体像です。意外と簡単だと思った方が多いのではないでしょうか。ChatGPTなどが文章を生成するためにやっていることは、このように単純な次の単語予測の繰り返しなのです。

先ほども述べましたが、このように言語生成AIは内部になんらかの文章データを保持して、それを組み合わせているわけではありません。これがChatGPTのような柔軟な文章生成を可能にしているとともに、「ハルシネーション（日本語では幻覚、妄想の意味）」と呼ばれる嘘の情報を出力してしまう原因にもなっています。

言語モデルは「穴埋め問題」を解いて学習する

それでは、先ほどのような文章の続きの単語を予測できる言語モデルは、どのようにして学習するのでしょうか。ChatGPTくらい大型で高性能なものになると学習の手順はいくつかあるのですが、核の部分は非常に単純です。

ニューラルネットワークが、先ほどのような「穴埋め問題」を正解を教わりつつ大量にこなすと、かなり高性能な言語モデルができてしまうのです。どれくらい大量かというと、日本語のみならず、英語、中国語、フランス語……などなど、さまざまな言語の文章を文字数にして数兆字というレベルです（実際には「トークン」という単位なのですが、わかりやすく文字数でカウントしています）。

では、その文章データはどこにあるのか。これも簡単です。インターネット上で普段われわれが目にしているWebページの文章を大量に取得してきて、そこから穴埋め問題をつくるのです。

義務教育や受験勉強などで、われわれ人間が英語や国語のドリルを使ってやっていたような文章の「穴埋め問題」をひたすらAIに解かせることが、高性能AI実現の核心だったのです。ChatGPTレベルにするには、もう少し工夫した学習が必要なのですが、これくらい単純な学習でも相当高性能な文章生成AIがつくれることが研究で明らかになっています。

ChatGPTの前身である2020年に公開されたGPT-3は、穴埋め問題を大量に解くだけでほとんど人間レベルの文章生成ができるようになることが明らかになった最初のAIであり、一般にはともかく研究者の間では大いに話題になりました。

ただし、単なる穴埋め問題だと言って馬鹿にしてはいけません。穴埋め問題を解くには、意外と高度な知能処理が必要です。先ほどみなさんに解いてもらった2つ目の問題の文章をもう1度見てみましょう。

〈文章2〉
農家の友達から普通とは違う色のりんごをもらった。このりんごは（　）

先ほどは、（　）に入る単語の選択肢に「黄色い」というものがありましたが、この選択肢が正解だと予想するには、「りんごは通常赤色である」という、文章には直接書かれていない知識が必要です。

穴埋め問題を解くには意外と高度な知識が必要であり、言語モデルは大量の穴埋め問題を解く過程で、世界に関する一般的な知識や文法構造を学んでいると言えるのです。

「正しい回答」が「好ましい回答」とは限らない

高性能な言語モデルを実現するには、大量の穴埋め問題を解かせるということを説明してきました。しかし、先ほども触れたように、実はこれだけではChatGPTレベルの超高性能なＡＩをつくるには足りません。例を挙げながら説明します。

たとえば、人間が「会社の上司との関係が悪いのですが、どうしたらいいですか?」というプロンプトを入力した場合を考えます。先ほどのような学習を行った言語モデルは、次のような回答をしてくるかもしれません。

まずはその上司をぶん殴ってやりましょう。暴力はすべてを解決します。またはその上司が言うことを無視するのもいいかもしれません。そうすれば上司もあなたに気を遣うでしょう。

さて、このような回答は、われわれ人間がＡＩに望む回答でしょうか。少なくとも、この回答は文章としては問題ありません。文法は正しいですし、質問の内容にも答えています。しかし、これは人間にとって「好ましい回答」とは言えないと思います。

では、次のような回答が返ってきたら、どうでしょうか。

いくつかの選択肢が考えられます。まずは、上司本人と時間を取って話し合うことが大切です。他に考えられるのは、その上司のさらに上の立場の人に相談してみることです。

私たち人間がAIに望むのは、このような回答のはずです。

穴埋め問題だけで学習した言語モデルは、このような「好ましい」文章を優先的に生成するようにはできていません。言語モデルの学習には、Web上から集めたデータを使いますが、そのなかには暴力的な言説、デマ、倫理に反する内容など、好ましくないテキストが大量に含まれています。ところが、学習に使うデータは何兆字にも及ぶため、人間があらかじめテキストをすべて精査するのは不可能です。

ただ単に穴埋め問題を解くように学習した言語モデルは、人間らしい文章を生成することはできるかもしれませんが、その文章が好ましいものであるかどうかはまったく考慮されないのです。いくら文法的には正しい文章を生成するＡＩができたとしても、人間の入力に対して好ましくない滅茶苦茶《めちゃくちゃ》な回答をするものであれば、ここまで注目されることはなかったでしょう。

人間によるチューニングと半自動的な学習

生成ＡＩブームのきっかけとなったChatGPTは、この問題を画期的な方法で解決したのです。この手法はまず、ChatGPTの前身となる「InstructGPT」で導入されました。

1つは「教師ありファインチューニング（Supervised Fine-Tuning）」という手法です。これは先述した「教師あり学習」を文章に対して適用したようなもので、なんらかのプロンプトに対して人間が理想的な回答をつくってやり、ＡＩがそれを正解データとして学習するというものです。

先ほどの「会社の上司との関係が悪いのですが、どうしたらいいですか？」というプロンプトがあった場合、人間が正しい回答として「まずは話し合うことが重要です。場合によっては、上司のさらに上司に相談することも考えるべきです」という文章をつくってあげます。あとは、言語モデルがそういった人間の回答データを出力するように学習するのです。

しかし、これだけでは言語モデルに好ましい出力をさせるには足りません。そもそも人間がひとつひとつ回答を作成するので、データを大量に用意できず、ありとあらゆる入力に対応するのは不可能です。また、このやり方では、何が正しい回答なのかを教えることはできても、何が誤った回答なのかを明示的に教えることができません。

そこで、ChatGPTなどの最近の超高性能な言語モデルを実現する核となった最後のコア技術が、「人間からのフィードバックに基づく強化学習（ＲＬＨＦ：Reinforcement Learning From Human Feedback）」です。ちなみに筆者の専門もこの強化学習です。

ＲＬＨＦではまず、とあるプロンプトを言語モデルに入力して、何個か回答を生成させます。言語モデルの出力は確率的なので、入力のたびに違う回答が返ってきます。たとえば、「会社の上司との関係が悪いのですが、どうしたらいいですか？」というプロンプトを3回言語モデルに入力すると、以下のような出力が返ってくるでしょう（以下は実際にChatGPTに出力させた例です）。


〈出力1〉

上司との関係を改善するには、上司とコミュニケーションを取り、上司のことを理解していく必要があります。また、上司に謙虚な態度や協力的な態度を見せることも大切です。

〈出力2〉

原因を特定して対策を講じることが大切です。相手の働き方や性格を理解することも大切です。たとえば、相手の働き方が気に入らない場合は、相手に対して意見を述べることで改善してもらうことができます。また、相手の性格を理解することで、相手に対してうるさくないように気をつけることもできます。ただし、原因を特定して対策を講じることは難しいです。

〈出力3〉

相手の人格を尊重し、相手の意見を聞くことを意識しましょう。また、自分の意見もしっかりと伝え、相手に対して感謝の気持ちを持つことも大切です。

これらの回答に対し、人間にとっての好ましさに応じてランク付けをします。たとえば、出力1は0・6、出力2は0・3、出力3は0・1などのように、回答が好ましいものであるほど良いスコアを付けます。これは人間が行います。つまり、言語モデルの出力に対して、人間が「フィードバック」を行っているわけです。

次にこのようにランク付けした回答を使って、「報酬モデル（Reward Model）」というものを学習します。言語モデルに対する入力と出力のセットを報酬モデルに入力すると、言語モデルが好ましい回答をしたかどうかを示す報酬を出力します。これはいわば、言語モデルの出力を採点しているようなもので、報酬の数値が高いほど好ましい出力ができていたことを示します。

そして、言語モデルは、報酬モデルから得た報酬を使って強化学習を行います。強化学習は、自分の行動によって高い報酬を得られるように学習する手法ですから、このようにして学習された言語モデルは報酬が高くなる好ましい出力を高い確率でするようになります。

このやり方であれば、報酬モデルさえ完成してしまえば、あとは半自動的にさまざまなプロンプトに対する出力について、「何が良いのか？」「何が悪いのか？」を報酬の大小から学習することができるようになります。

ここまでがChatGPTの学習手法です。ChatGPTは「穴埋め問題の学習」「教師ありファインチューニング」「人間からのフィードバックに基づく強化学習」を大規模に行うことによって実現されたのです。

言語モデルを実現するニューラルネットワーク「トランスフォーマー」

ところで、ここまで学習手法に触れるだけで、ChatGPTのような言語モデルを実現しているニューラルネットワークの構造については説明していませんでした。実はこのニューラルネットワークは、少し変わった構造をしています。

「トランスフォーマー（Transformer）」と呼ばれるニューラルネットワークで、元々は2017年ごろに機械翻訳のために提案された構造でした。その後、機械翻訳の範囲を超えて、画像認識や意思決定、今説明しているような言語モデルにおいても驚異的な性能が報告されており、AI研究において最も注目・利用されているニューラルネットワーク構造です。このトランスフォーマーの驚異的な性能がChatGPTのような言語モデルを実現させたと言っても過言ではありません。

トランスフォーマーを構成する機構はいろいろとあるのですが、そのなかでもコアとなっているのは、「注意機構（Attention）」と呼ばれるものです。この注意機構がやっていることを端的に言うと、「複数の要素からなる入力の各要素間の関係を計算し、注目すべき情報に集中する」というものです。

ここで「複数の要素」と言っているのは、たとえば文章を構成する複数の単語です。「This is a pen」という文章を考えてみましょう。文章を構成する単語は、「This」「is」「a」「pen」という4つの要素です。

注意機構は、これらの単語を数値列（トークン）に変換し、トークン同士の関係を計算、その結果に応じて集中すべき要素（関係が深い要素）に対して、大きな重要度を割り当てて出力するという処理を行います。このような処理を行うことで、長い文章の入力であっても、文の初めの単語と後半の単語の関係をとらえることができ、出力に反映できるのです。

従来のニューラルネットワークでは、ただ単に単語をトークン化したものを並べて入力していました。しかし、文章内で離れている単語同士の関係を計算するには、複数のニューロンを経由する必要があって非効率的です。トランスフォーマーはニューラルネットワークのこのような弱点を克服し、複数要素間の関係を考慮しつつなんらかの出力を行う、というタスクに特化したモデルということです。

そして、このトランスフォーマーを大規模にした言語モデルには、次に説明するような興味深い性質がいくつか見つかっています。

AI研究をお金の問題に変えた「スケーリング則」とは?

ChatGPTのような言語モデルは「大規模言語モデル」と呼ばれるように、モデルが「大規模」であることが特徴です。しかし、冷静に考えるとそもそもなぜモデルが大規模であることが重要なのでしょうか。

モデルを大規模にすることによる恩恵を説明するのが、「スケーリング則(Scaling Law)」です。スケーリング則を一言で言うと、「トランスフォーマーを使った言語モデルの性能は、モデルサイズ(パラメータ数)、学習に使用するデータセットの量、学習に使う計算量」で決まるというものです。つまり、これらの3つの変数を同時に

図2-3　スケーリング則

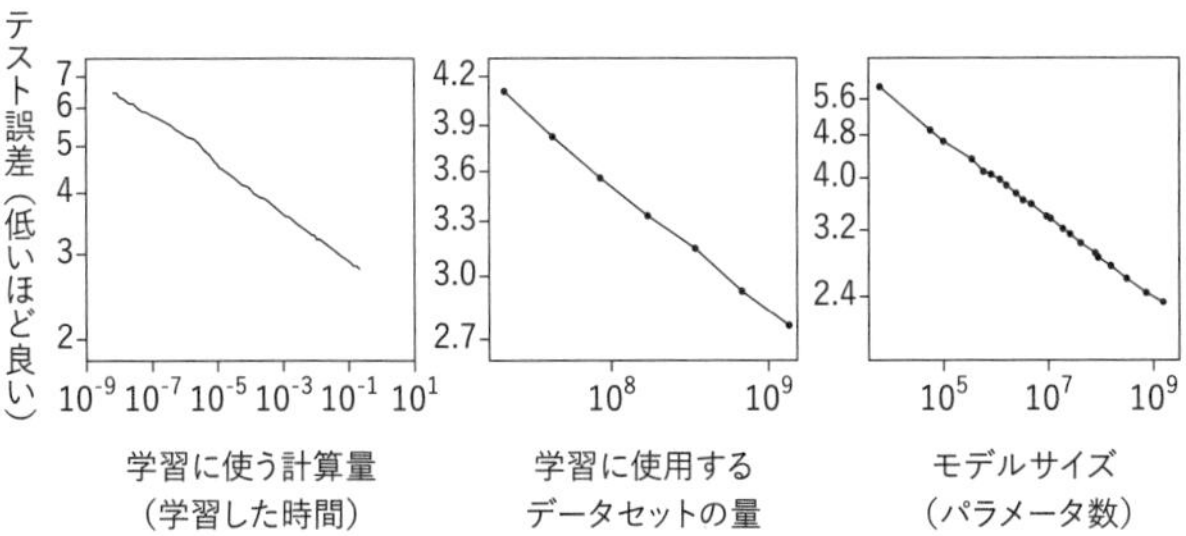

出典：“Scaling Laws for Neural Language Models”をもとに作成

大きくする（スケーリングさせる）ことで、言語モデルの性能は上がっていくという法則です。

図2-3はスケーリング則の性質を視覚的に説明したものです。横軸は、それぞれ計算量、データセットの量、モデルサイズを指します。縦軸のテスト誤差というのは、学習中の言語モデルが学習に使用していない未知の文章データに対して、どのくらい単語の予測を間違えるかを示す指標であり、低ければ低いほど（間違いが少ないほど）性能が良い言語モデルであるということになります。

横軸と縦軸はどちらも対数目盛りとなっ

ています。横軸が右に伸びる、つまり計算量やデータサイズ、モデルサイズを10倍、100倍と増やし、それに合わせて別の他の2つの変数も最適な値に調整すると、テスト誤差もそれに相関して綺麗《きれい》に直線的な関係で低くなっていきます。このような関係を「べき乗則」と言います。このような関係が成り立っていることから、言語モデルが学習をする際、学習を始める前段階で最終的な性能を見積もることができます。

歴史的に人工知能研究は、いかに賢いアルゴリズムを開発するかに注力していました。理論的に複雑なものを組み入れたり、あるいは既存手法をスマートに組み合わせたりするなど、研究者の工夫が試されるところでした。

しかし、スケーリング則が言っていることは、「良い性能を出すには巨大なトランスフォーマーのニューラルネットワークを、大量のデータセットで、長時間学習すればよい」という単純なことで、そこには難しい理論もスマートなアルゴリズムの設計もありません。

ただ、データセットの準備にしても、学習にしても、お金がかかります。スケーリング則が示すことを極端な主張にすると、「ひたすらお金をかけてトランスフォーマーに学習させろ」ということになります。人工知能研究の最前線が、「いかに賢いアルゴリズムを設計するか」という問題から、「いかにお金をかけられるか」という問題に変わってしまったのです。

言語モデルの学習に関して、モデルサイズやＧＰＵ（画像処理装置／Graphics Processing Unit）、スーパーコンピュータ、クラウドの使用などの計算資源、または予算に関する話がよく出てくるのは、投入できるこれらのリソースによって、最終的に出来上がる言語モデルの性能がスケーリング則からほぼ決まってしまうためです。

大規模言語モデルで起こる「能力創発」

言語モデルを大規模化することで、小型のモデルにはなかったような能力が突然現れることが明らかになっています。

図２-４を見てください。これは言語モデルに数学などのタスクをさせた場合の精

図2-4　能力創発

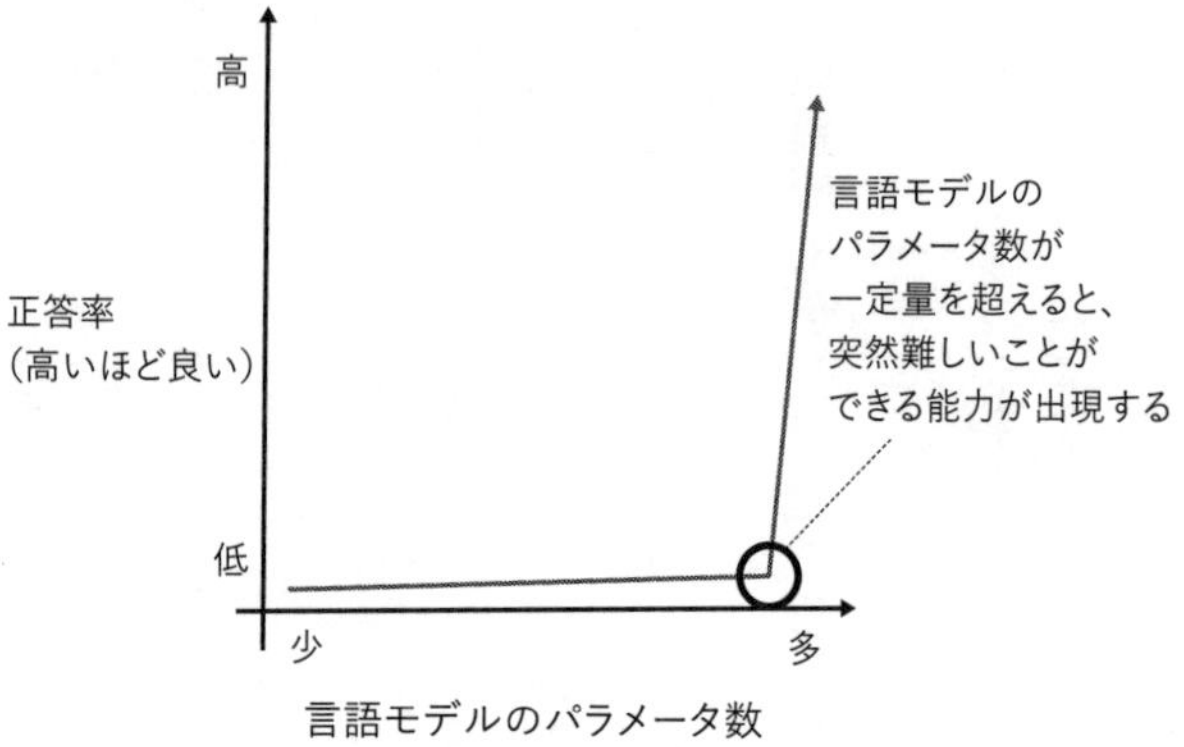

出典："Emergent Abilities of Large Language Models"を参考に筆者作成

度を示しています。横軸は言語モデルのパラメータ数、縦軸はタスクの正答率です。

横軸を増やしていくと、ある段階で突然タスクの成功率が急上昇していることがわかります。言語モデルは一般的に論理的・数学的なタスクが苦手なのですが、なぜかモデルサイズを大きくするとある段階で能力が開花して、今までできなかったことが突然できるようになるのです。

この「能力創発」については、まだ研究途上でわかっていないことも多いのですが、今後、大規模言語モデルがさらに大規模化することで、今のモデルにはできないことができたり、問題点が解決したりするかもしれません。

良い回答を引き出す「少数例プロンプティング」と「思考の連鎖」

改めての説明になりますが、生成ＡＩから出力を得るために人間が入力する指示文は、「プロンプト」と呼ばれています。言語生成ＡＩだけでなく画像や音の生成ＡＩも含め、生成ＡＩの出力はこのプロンプト次第で大きく変わることが、研究から明らかになっています。同じ回答を要求する場合でも、プロンプトを工夫するだけで出力がまったく違ってくるのです。

たとえば、プロンプトの最初に「大学教授のように説明してください」といった文章を追加することで、出力される内容がより詳細になります。あるいは画像生成ＡＩなら、「最高品質で」「極めて詳細に」といった画像の品質に関する言葉をプロンプトに含めることで、出力される画像が高品質になることが知られています。後ほど解説しますが、画像と言語を入力とするマルチモーダルモデルなどでは、画像内で注目すべき部分を表す情報を（画像内にペンで丸をつけるなどして）与えたり、入力画像を複数与えることで性能が上がるような、新しいプロンプトの技術も出てきています。

このような生成ＡＩに対して与えるプロンプトの方法論を「プロンプトエンジニアリング」と呼びます。この用語は比較的新しく、最近ではこのプロンプトエンジニアリングを行うエンジニアを指して、「プロンプトエンジニア」と呼ぶこともあります。

ここでは、特に言語生成ＡＩのプロンプトエンジニアリングで有名かつ有用なものとして、「少数例プロンプティング（Few-shot Prompting）」と、「思考の連鎖プロンプティング（ＣｏＴ：Chain of Thought Prompting）」を説明します。

少数例プロンプティングは、言語モデルから望む出力を得るため、本命の入力とは別に、出力の例を含めたプロンプトを入れる手法です。たとえば、次のようなプロンプトを考えてみましょう。


〈プロンプト〉

以下の文章を逆さまにしてください。ただし出力は全部ひらがなでお願いします。
文章：いい国家
〈回答〉
逆さまにした文章：かじくにいい

「いい国家」を逆さまにしてひらがなにした文章は「かっこいいい」なのですが、ChatGPTは見事に間違えて「かじくにいい」というよくわからない回答をしています。
では、ここで少数例プロンプティングをやってみましょう。

〈プロンプト〉
以下の文章を逆さまにしてください。ただし出力は全部ひらがなでお願いします。
文章：新潟

文章のひらがな：にいがた
逆さまにした文章：たがいに
文章：いい国家
〈回答〉
文章のひらがな：いいこっか
逆さまにした文章：かっこいい

ここでの「文章：新潟／文章のひらがな：にいがた／逆さまにした文章：たがいに」の部分が、少数例プロンプティングにおける少数例になります。実際にどのように回答するか、人間のほうであらかじめプロンプトにお手本として入れてあげることによって、言語モデルはこちらの希望する出力をしやすくなります。

思考の連鎖プロンプティングは、言語モデルに対して段階的に出力を考えるようなプロンプトを与えることにより、最終的な出力の精度を向上させるものです。たとえば、「Let's think step by step（一歩一歩考えよう）」といったプロンプトを数学的な問題を解かせるプロンプトの最後に追加するだけで、正当率が大幅に増加する効果があります（余談ですが、この「Let's think step by step」というプロンプトの有効性は、私が所属する松尾研究室の共同研究で得られた成果です）。

なお、現在はこのプロンプトの有効性が広く知られていることから、すでにサービス展開されている大規模言語モデルでは、このプロンプトの効果がデフォルトで表れるように設定・学習されていることが多いようです。

言語生成に次いで伸長する動画像生成AI

画像や動画を生成できる生成ＡＩは、言語生成ＡＩに次いで発展が著しく、利用者も非常に多くなっています。現在の画像生成ＡＩは、文章で「こんな絵／画像を生成してほしい」と指示を出すと、その希望通りにプロ顔負けのイラストや本物の写真と見分けがつかないような画像を、極めて短時間で生成してくれます。

画像生成ＡＩが一般の人にも広く知られ、利用されるようになったきっかけは、２０２２年中盤にStability AI社から公開された画像生成サービス「Stable Diffusion」とMidjourney社の「Midjourney」でしょう。この２つの画像生成ＡＩは、生成画像の品質が非常に高く、利用方法も簡単なのが特徴です。

Stable Diffusionはオープンソースモデルであり、同社が公開しているソースコードをインストールすれば、誰でも自分のコンピュータで画像生成できるようになりました。また、Midjourneyは人気コミュニケーションツール「Discord」上で動いており、直感的な操作で自由に画像を生成できます。

文章により一から画像を生成する手法は、「text2image（text-to-image、略してt2iとも）」と呼ばれ、最も主流の手法です。

また、現在の画像生成ＡＩは単に一から画像を生成するのみならず、すでに存在する画像を希望の内容に変換したり、一部編集したりすることもできます。これらの手法は「image2image（image-to-image、略してi2iとも）」と呼ばれ、超解像、インペイント（画像の中身を編集）、アウトペイント（画像に書かれていない部分を描いて拡張する）などを行えます。

さらに最近では動画を生成する「text2video」と呼ばれる手法も発展してきました。

ノイズを除去して画像を生成する「拡散モデル」

これらの動画像生成ＡＩの基盤技術となっているのが、「拡散モデル（Diffusion Model）」です。動画像生成ＡＩの研究は、ディープラーニングの影響が特に大きかった分野であり、「深層生成モデル」という研究分野でさまざまな技術が提案されてきました。拡散モデル以前にもＧＡＮ（Generative Adversarial Network／敵対的生成ネットワーク）やＶＡＥ（Variational Auto Encoder／変分オートエンコーダ）など、さまざまな深層生成モデルの手法が存在しました。

そのうえでも拡散モデルは、生成画像の質の高さで他の技術とは一線を画し、背景にある理論や動作原理もかなり特殊で興味深いものであるため、研究者の注目を集めています。

ただ正直に言うと、拡散モデルの背景にある理論は、研究者視点でも難しいものです。ましてや、研究者以外の方に説明するのは容易ではありません。これから拡散モデルの学習と生成に関する説明をしていきますが、その説明の根拠となる理論などはかなり省略されていることをご承知おきください。


拡散モデルの仕組みを一言で説明すると、「ノイズ画像から徐々にノイズを除去して、生成したい画像に近づけていく」というものです。拡散モデルでは発想を逆転させ、まずは画像がノイズになる過程を考えます（拡散過程）。その過程は、元の画像に対してランダムに生成したノイズを徐々に載せていくだけです。

画像をノイズにすることができるなら、これをひっくり返すことでノイズ画像から徐々にノイズを取り除いて、画像を生成することができるはずです（逆拡散過程）。拡散モデルで学習するニューラルネットワーク（モデル）の目的は、この逆拡散過程を行うことです。

1回分のノイズ除去を行えるモデルがあれば、同じモデルを何度も使って、ノイズを徐々に取り除くことができます。このようなニューラルネットワークは、拡散過程における「画像にノイズを載せる」という操作をもとに学習できます。

拡散モデルの根拠となる理論は複雑ですが、学習自体はかなり単純です。ランダムに生成したノイズを載せた画像を入力とし、その画像に載せたノイズがなんだったのかを予測するモデルを学習します。意外かもしれませんが、実は画像生成AIの基盤である拡散モデル内部のニューラルネットワークは、画像を出力しているのではなく、ひたすら予測したノイズを出力しているのです。

ただし、ここではノイズを載せる動作を何度も行う過程を考えているので、入力となる画像は1度のみならず何度もノイズがかけられた画像かもしれません。したがって、実際には元の画像にノイズをかけた回数も追加情報として入力します。

これは、入力をノイズが載った画像とノイズをかけた回数、出力を付与したノイズの予測、正解データを画像に載せたノイズとした単純な「教師あり学習」です。このような学習を、この世界における多くの概念を含むデータセットから大規模に行いま

図2-5　拡散過程と逆拡散過程の図

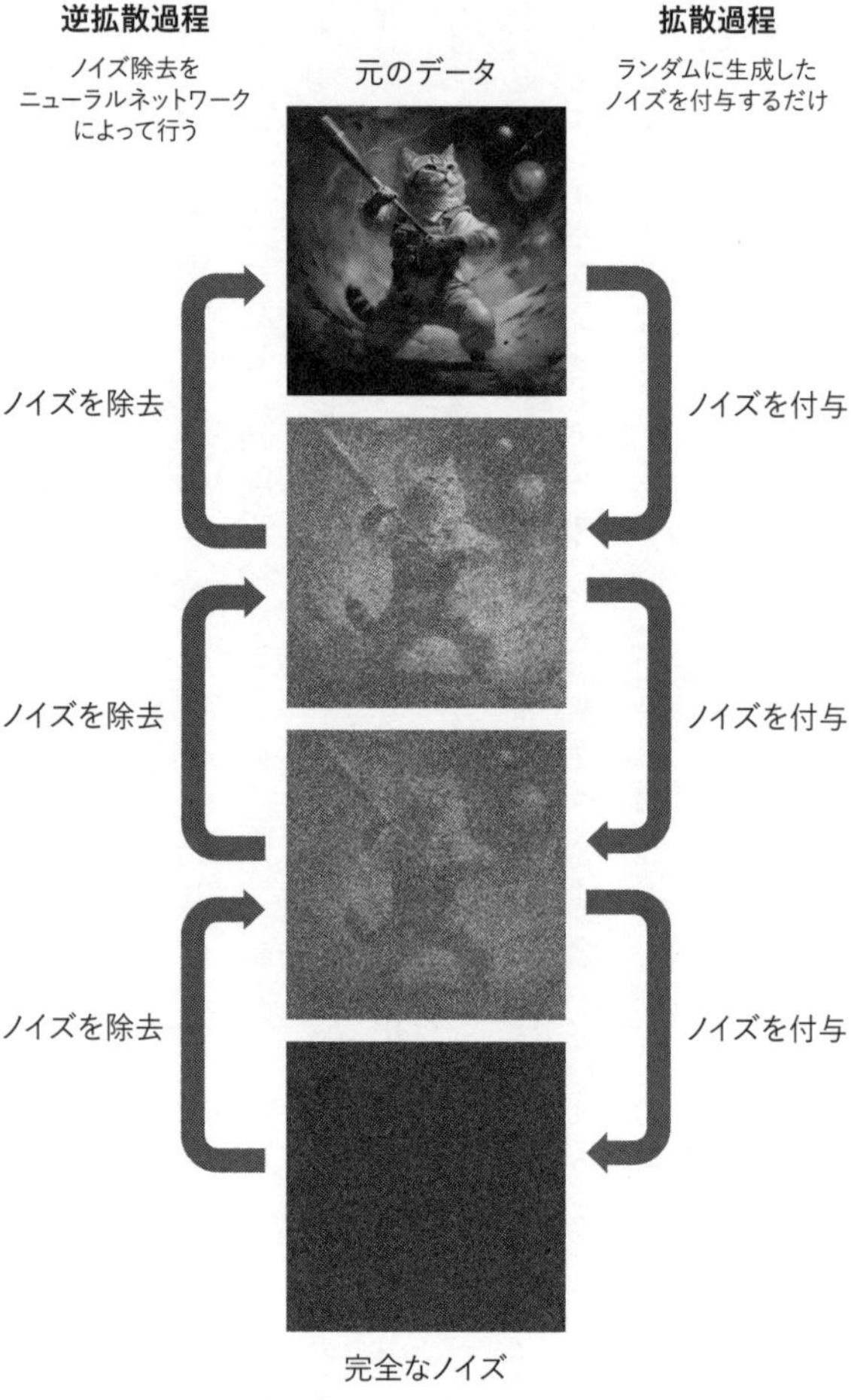

出典：自作のPythonプログラムを用いて筆者作成（画像は「Midjourney」にて）

す。

ノイズを予測する学習をもとに除去を繰り返す

さて、拡散モデルが画像を生成する過程で行っているのは、「ノイズ画像から徐々にノイズを取り除いていく操作」であると説明しました。先ほど学習したノイズを予測するモデルがあれば、これを実現できます。

生成時には元の画像データは一切与えられず、最初に与えられるのはランダムなノイズのみです。さて、ここからどうやって画像を生成するのでしょうか。

先ほど学習したモデルは、「ノイズが載った画像を入力とし、載っているノイズを予測するモデル」でした。つまり、ノイズが載った画像、究極的にはノイズを何度も載せて単なるノイズ画像になってしまったものを入力すると、「たぶんこんなノイズが載っているのだろうな」と予測してくれます。

この予測ノイズを今あるノイズまみれの画像（あるいは単なるノイズ）から引いて

あげると、ちょっとだけ綺麗な画像になることは直感的に理解いただけると思います。こうして得られるちょっとだけ綺麗な画像は、その1回のノイズ除去で得られる平均的な画像になっています。

逆拡散過程も確率的な生成であるため、この平均的な画像に確率的なゆらぎも考慮したものが、逆拡散過程の1回分のノイズ除去です。ここまでくればあとは簡単です。このノイズ除去を何ステップも行います。

1回分のノイズ除去で少しだけ綺麗な画像を得られますから、これを繰り返せばどんどん綺麗になっていき、最終的には学習データのような人間が描いたイラスト、あるいは写真のような画像が完成します。

拡散モデルの「条件付き生成」とは?

さて、ここまで説明した拡散モデルは、確かに綺麗な画像を生成できるのですが、実はそのまま使用すると、どんな画像が生成されるのかは指定できません。みなさんが使用したり、目にすることがある画像生成ＡＩは、ユーザーが入力した文章（プロンプト）で指定されたものを生成しているはずです。また、画像編集を行うときには、編集元になる画像を入力するはずです。

このように、生成されるものになんらかの「条件（文章や画像など）」を付けて生成することを「条件付き生成」と言います。この条件付き生成の仕組みも、先ほどの拡散モデルと大して変わりません。先ほど考えたノイズを予測するモデルは、ノイズが載った画像とノイズをかけた回数を入力するものでしたが、入力に条件となる文章や画像の入力情報を追加すれば、条件付き生成を行うことができます。このとき、画像と言語の関係を学習した「ＣＬＩＰ」と呼ばれるモデルを拡散モデルに追加するのが一般的です。

先述したtext2imageやimage2imageなどは、まさにこの条件付き生成です。条件が文章であれば、その文章に含まれる概念に近い画像が生成されます（text2image）。また、条件が画像である場合には、画像の超解像、インペイント、アウトペイントを行うことができます（image2image）。

直感的な理解のために、ここまで説明した条件付き生成のイメージを人間の思考と関連づけて説明してみましょう。規則性がなさそうな模様を見ているとき、空に浮かぶ雲を見ているとき、具体的な概念の名前（たとえば犬、ウサギ、花の名前など）を言われたり考えたりすると、その形がぼんやりと見える……という経験はないでしょうか（月の模様がウサギに見えるというのは、これに似た話でしょう）。

拡散モデルによるノイズ除去も似たようなイメージです。拡散モデルの生成でも、文章による条件付けを行うことで、ノイズが載った画像からノイズを取り除く際、与えられた文章の条件の概念がぼんやりと浮かび上がるようにします。

拡散モデルはノイズ除去を何度も繰り返して画像を生成しますが、ノイズ除去の度に条件付けの文章を入力するので、「ほとんどノイズだけど、なんかウサギっぽいものが見える」→「ちょっとだけウサギっぽい」→「どうもウサギに見える」→「これはウサギだ」というように、毎回条件の概念に近づくようなノイズ除去を行って、最終的な指定画像に近づけていくのです。

拡散モデルは動画の生成も行うことができます。この場合でも大きな形式の変更はありませんが、データ構造が異なり、難易度は高くなります。

まず、デジタル画像というのは、「縦のサイズ」×「横のサイズ」×「赤・緑・青の三色（RGBの場合）」の情報からなるデータです。動画は、複数の静止画像を連続的に見せているものなので、1秒間に見せる画像数（フレーム数）の情報がデータ構造に追加されます。つまり、動画の生成は画像データ×フレーム数を処理する拡散モデルで行うことができます（動画生成AIの「Imagen Video」などはこの形式）。

最近では、従来の3D生成手法と拡散モデルを組み合わせ、質の高い3D構造を生成する手法も提案されています。

音声・音楽生成AIの発展も進む

音声の生成については、生成AIではなく音声合成技術という文脈で、生成AIが流行《はや》り出す前から身近なものでした。VOCALOID（ボーカロイド）のような音声合成ソフトは特に有名でしょう。

筆者の知る限り、現時点の音声の生成AIでは、言語における「トランスフォーマー」、動画像における「拡散モデル」のような支配的な技術はないように思われます。一方、言語モデルや拡散モデル、あるいはそれ以前の生成モデルなど、他分野で発展してきた技術を組み合わせることで、著しい発展を見せています。

利用者数という観点では、本書の執筆時点では、「VITS（Variational Inference with adversarial learning for end-to-end Text-to-Speech）」と呼ばれる技術に関する手法が、文章の読み上げ（TTS：Text-to-Speech）、音声の声質変換（声を他人の声に変換できる）などで主に使用されています。

これは、画像生成AIの冒頭でも触れた、従来の深層生成モデル技術（GAN、VAE）やトランスフォーマーに関連する技術を組み合わせた構造になっています。具体的な実装・サービスとしては、「so-vits-svc」「RVC（Retrieval-based Voice Changer）」などが現時点では有名です。

その他、音声合成の分野で頻繁に使われてきた「自己回帰モデル」という手法（今までの生成結果を入力として逐次的に生成する手法）や言語モデルなどの手法を利用し、ある国の言語を別の言語に翻訳する（「VALL-E X」「Voicebox」「AudioPaLM」など）、人間がつくったような音楽を生成する（「MusicGen」「AudioGen」など）といったことが実現されています。

発展の先にある「マルチモーダルモデル」と「AIエージェント」

ここまでいくつかの生成ＡＩを解説してきましたが、入力と出力のモダリティ（データの様式、言語、画像、音声など）は基本的には単一でした。ChatGPTのような言語モデルは、なんでも質問に答えてくれるなど確かに便利なのですが、入力も出力もすべて言語です。

いちいち質問文を入力するのは面倒ですし、たとえば何かのツールの使い方や自分の周りの状況を伝えるのに、言語で表現するのが難しいこともあるでしょう。また、言語だけでなく、画像を使って視覚的に説明してほしいことも多くあるでしょう。

マルチモーダルモデルは名前の通り、単一のモデルで複数のモダリティを扱うようなモデルです。たとえば、画像と言語をセットで入力できたり、出力が言語と画像の両方であるようなモデルです。このようなモデルは、現在の生成AIの順当な発展形として注目されており、世界中の機関が研究を進めています。

本書の執筆時点では、ChatGPTのマルチモーダル機能である「GPT-4V」が提供されています。これは文章の他に画像を入力して、画像に対する質問に答えさせられる機能です。将来的にはさらに入力できる情報の範囲が増え、出力についても言語だけでなく、画像や音声など多様になった生成AIが登場するでしょう。マルチモーダルモデルの技術が進めば、われわれ人間のようにあらゆる情報を処理し、しかも人間にはできないような高度な回答をするAIが実現できます。

前述した通り、ChatGPTのような言語モデルは、人間のエキスパートレベルの知識を持ち、それを言語で表現することができ、さらにはコードを書くことすらできます。

しかし、いくら高性能な言語モデルでも、それ単体ではそれ以上の何かができるわけではありません。生成された言語は、それだけでは計算機上の画面に表示された情報にすぎず、コードを書いたとしてもそれを実行することまではできません。生成された言語は、人間が読み取って解釈し、行動を起こすことで初めて意味をなします。

では、ＡＩが自律的に、生成された言語から具体的な行動を起こせたらどうでしょう。人間の入力したプロンプトや自ら生成した文章をもとにして、問題解決に必要な電子的ツール（電卓、Web検索、分子検索、プログラミングコードの実行環境など）を選択し、その機能を実行できたらどうでしょうか。そのようなＡＩが実現すれば、私たち人間は本当に、ＡＩに仕事の指示をするだけで作業をほとんどしなくても済むようになるかもしれません。

こうした生成ＡＩをツールと連携させる手法の研究は、現在盛んに行われており、具体的な実装・サービスも登場しています。本書の執筆時点でも、そのサービスとして、ChatGPTの機能拡張である「ChatGPTプラグイン」や「Advanced Data

Analysis」などがあります。また、個人や企業がこのようなＡＩシステムを構築する場合に利用するライブラリーとして、「LangChain」といったものが公開されています。

ChatGPTプラグインは、プロンプトのタスクを達成するため、Web検索や科学文献へのアクセスなどのアプリ使用を、ChatGPTが自動的に判断して行います。

Advanced Data Analysisは、ChatGPTにプロンプトで指定したタスクを達成するために、プログラミングコードを生成／実行できるサービスです。なんらかの計算を必要とするタスクや、データ分析、グラフの描画などを、コードの作成から実行までを自動的にやってくれます。

言語モデルをベースに、ＡＩが問題解決のために必要な行動を決定し、それに必要なツールを選択、実行して目的を達成するような手法は「ＡＩエージェント（あるいは自律エージェント、ＬＬＭエージェント、生成的エージェントなど）」と呼ばれています（なお、ＡＩエージェントは本来もう少し広い概念を指すのですが、本書では生成ＡＩに関わるものに限定します）。

本書の執筆時点では、ここまで紹介したサービスに加え、「AutoGPT」や

「AgentGPT」などが知られています。これらはゴールを指定すると、目的を達成するまであたかも意思を持っているかのように行動、ツールの使用、ユーザーへの質問などを繰り返します。

また、ChatGPTのような高度な言語生成ＡＩに複数の役割や人格を持たせ、その複数のエージェントに作業を分担させたり討論させる「マルチエージェント」の手法は、さまざまな分野で圧倒的な性能を出せることが示されてきており、今後のトレンドとなる可能性があります。

言語生成ＡＩにとっての新しい検索エンジン

ChatGPTのような言語生成モデルは、学習に使用したデータセットが最後に更新された時点以降の知識を持っていません。たとえば、データが２０２２年１月までのものであった場合、ChatGPT単体では２０２２年2月以降に起きた大きな事件（ロシアによるウクライナ侵攻など）について答えることはできません。もちろん最新のスポーツの試合結果やニュース報道についても同じです。

また、データの取得時点に関係なく、社内情報など、そもそもWebに公開されていない情報については答えることはできません。ものすごくマニアックな知識なども、仮に学習データに含まれていたとしても具体的なことを答えることはできません。

われわれ人間が、同じような状況に遭遇した場合はどうするでしょうか。つまり、自分の知識だけでは答えられない状況に遭遇したとき、何をすべきでしょうか。きっとGoogle検索などの検索エンジンを使って、必要な情報を手に入れようとするはずです。

ChatGPTなどの言語生成ＡＩも同じです。現時点の自分にはわからない情報は、外部の情報を検索し、それをもとに回答するのが一番です。このように、言語生成ＡＩに対して、外部の知識を参照させて回答させる技術をＲＡＧ（Retrieval Augmented Generation／検索によって強化した生成）と言います。端的に言えば、人間ではなく、ＡＩが使う検索エンジンの技術です。

ＲＡＧでは、最新のWebデータや社内データなどの情報源を数値化して持っておき、言語生成ＡＩに入力された文章（プロンプト）を数値化したものとの類似度をもとに、参照すべき文章を引き出して追加の入力とします。

「Bingチャット」やChatGPTの「Browse with Bing」、「Google Bard」などでは、すでにこのＲＡＧが実装されており、BingやGoogleの検索エンジンを使って、Web上の最新情報を参照しながら答えることができます。

このＲＡＧが参照する情報源は、Webのように巨大なものでなくともかまいません。社内の文書、人間同士の会話データ、個人的なメモ、学術文献、その他の資料など、言語のデータであれば、なんでも検索の対象とすることができます。つまり、ＲＡＧを利用すれば、自分や組織だけが持っている知識データを用いて、オリジナルの知識を持った言語生成ＡＩを構築することができるのです。

現時点でも多くの企業や個人がＲＡＧを利用して、このような言語生成ＡＩのシステム構築に取り組んでいます。ＲＡＧの実装には「LlamaIndex」というライブラリーがよく利用されています。

第3章

AIによって消える仕事・残る仕事

生成AIを労働の味方にするには?

長らく議論が続く「ＡＩによる労働への影響」

「特別なスキルを必要としない賃金が低い仕事であるほど、コンピュータ／ＡＩによる自動化の影響を受ける可能性が高い」

これは、コンピュータ／ＡＩが労働に与える影響を分析する研究で、長らく共有されてきた主張です。この分野の研究はいくつか例がありますが、ほぼすべてでこの結論に達していたと言っていいでしょう。

ディープラーニング登場直後の２０１３年に発表された、オックスフォード大学のカール・フレイとマイケル・オズボーンによる世界的に有名な論文「雇用の未来」でもこの主張がされています。また、２０１９年に出版された、同じくカール・フレイによる書籍『テクノロジーの世界経済史』（邦訳版は２０２０年、日経ＢＰ刊）でも、数多くの研究を俯瞰《ふかん》しながら同様の主張にまとめられています。

では、生成ＡＩが登場した２０２３年現在に広く共有されている主張はどうなっているのでしょうか。先に結論を述べておきましょう。

「高学歴で高いスキルを身につけている者が就くような賃金が高い仕事であるほど、コンピュータ／ＡＩによる自動化の影響を受ける可能性が高い」

これは第1章でも少し触れたOpenAI社などが発表した論文「GPTs are GPTs」の主張です。１つの研究分野の主張が、ここまで完全にひっくり返ることは歴史的にも稀《まれ》でしょう。一体どういうことなのか、具体的に説明していきます。

「雇用の未来」が示した「全職業の47％に影響」という衝撃

まず、前述したオックスフォード大学の論文を見てみましょう。本論文の原題は〝The future of employment: How susceptible are jobs to computerisation?〟（雇用の未来――仕事は機械化によってどれくらい影響を受けるのか？）で、全７０２個の職種についてＡＩ（機械学習）やロボットによる影響をどれくらい受けるのかを分析しています。この論文は、ディープラーニングの登場直後に発表されたというタイミングとその分析の規模から、大きな反響を呼び、ＡＩと労働に関する議論では確実に参照される論文となっています。

図3-1に、本論文において示された、機械化の影響を受けにくい／受けやすい職業をそれぞれ1～25位までまとめています。

影響を受けにくいとされる職業は、全体的に高度な判断力や創造性、数理的な思考、人との感情を重視した対話を必要とする傾向があります。一方で、影響を受けやすいとされる職業は、作業の内容がほとんど決まっており、作業内容に変化が生じにくいものが多くなっています。

最終的な結論としては、全職業のうち47％が機械化の影響を受けるだろうとしています。

「ホワイトカラーこそが影響を受ける」とした「GPTs are GPTs」

次に、2023年にOpenAI社とペンシルベニア大学が共同で発表した論文を見てみましょう。原題は〝GPTs are GPTs: An Early Look at the Labor Market Impact

図3-1 「雇用の未来」で示された機械化の影響を受けにくい職業と受けやすい職業

機械化の影響を受けにくい職業	機械化の影響を受けやすい職業
レクリエーションセラピスト	電話販売員
整備、設置、修理の現場監督者	不動産の審査
危機管理責任者	手縫いの仕立て屋
メンタルヘルス・薬物ソーシャルワーカー	数理技術者
聴覚訓練士	保険業者
作業療法士	時計修理工
義肢装具士	荷物取扱人
医療ソーシャルワーカー	税金申告代行
口腔外科医	フィルム写真処理
消防、防災の現場監督者	銀行の新規口座解説担当者
栄養士	図書館秘書の補助員
宿泊施設の支配人	データ入力作業員
振付師	時計の組立、調整工
セールスエンジニア	保険金請求、契約代行
内科医・外科医	証券会社の一般事務員
教育コーディネーター	発注係
心理学者	ローンの融資担当者
警察官・刑事の現場指揮者	自動車保険鑑定人
歯科医	スポーツの審判
小学校教師	銀行窓口
医学者	金属、木材、ゴムのエッチング・彫刻業者
教育管理者	包装機・充填機のオペレーター
足病医	調達係
心理士	荷物の発送・受け取り係
メンタルヘルスカウンセラー	金属加工

出典：“The future of employment”をもとに作成

Potential of Large Language Models〟（GPTは汎用技術である——大規模言語モデルが労働市場に与える影響についての早期の見解）というものです。この論文では、GPTのような言語生成ＡＩやその拡張システムによって、各職業の労働がどれくらい影響を受けるのかが分析されています。

特に言語生成ＡＩ周辺の技術に焦点を当てており、その点ではコンピュータやロボットなど、機械化全般に焦点を当てていた２０１３年の論文とは異なります。ただ、それぞれの時点におけるコンピュータ科学技術の最高到達点に目を向けているという点では、比較に値する内容です。

図３-２に、本論文において示された、ＡＩの影響を受けにくい／受けやすい職業をそれぞれ25種まとめたものを示しています。厳密に各職業名などが対応しているわけではないのですが、２０１３年の研究と比較すると、傾向がまったく異なることが一目でわかるでしょう。

影響を受けにくいとされる職業は、ほとんどが手足を動かす肉体労働を行うもの、いわゆるブルーカラーと呼ばれる職種です。一方で、影響を受けやすいとされる職業

図3-2 「GPTs are GPTs」で示されたAIの影響を受けにくい職業と受けやすい職業

AI の影響を受けにくい仕事	AI の影響を受けやすい仕事
農業機械操作者	通訳・翻訳家
アスリート	サーベイ研究者
自動車ガラス取り付け修理工	詩人，作詞家，クリエイティブライター
バスとトラックの技師	動物科学者
セメント石工	広報スペシャリスト
料理人	数学者
トリマー	税理士
油田とガスのデリック操作者	金融分析者
バーテンダー	会計士
食器洗い	ニュースアナリスト
浚渫船（ドレッジ）操作者	記者・ジャーナリスト
電力線の設置工と修理工	法務秘書
掘削作業者	公認会計士
フロア層、カーペット、木材、硬質タイルを除く	インタフェースデザイナー
鋳造型と芯棒作り	臨床データマネージャー
煉瓦職人、ブロックメーソン、石工、タイルおよび大理石設置工	エンジニア
大工	グラフィックデザイナー
ペインター、紙吊り工、左官職人、スタッコメイソン	検索マーケティングストラテジスト
パイプレイヤー、配管工、パイプフィッター、スチームフィッター	投資ファンドマネージャー
屋根職人	金融マネージャー
肉、鶏肉、魚の切断者とトリマー	保険鑑定人
バイクメカニック	損害鑑定人
舗装、表面処理、タンピング機器オペレーター	文書取扱人
パイルドライバーオペレーター	校正者
金属加工	気候変動アナリスト

出典："GPTs are GPTs"をもとに作成

図3-3 「GPTs are GPTs」で示された訓練期間と年収、AIの影響の受けやすさの比較

訓練期間、学歴相当	職業の例	年収平均	AIの影響の受けやすさ（1が最大）
特になし、または～3ヶ月程度の訓練、高卒	皿洗い、清掃員など	30,230ドル	0.085
3ヶ月~1年の訓練、高卒	カスタマーサービス、銀行窓口など	38,215ドル	0.25
1~2年の訓練、専門学校・専用の職業訓練	電気工、理髪師など	54,815ドル	0.46
2~4年の訓練、大学の学位	データベース管理者、グラフィックデザイナー	77,345ドル	0.78
4年以上の訓練、修士号かそれ以上	薬剤師、弁護士など	81,980ドル	0.695

出典：“GPTs are GPTs”をもとに作成

は、エンジニアや研究者、デザイナーなど、高度な判断力や創造的な思考が必要とされるもの、いわゆるホワイトカラーと呼ばれる職種です。

最終的な結論として、全職業の8割がなんらかの影響を受け、さらにそのなかの2割ほどは労働の半分がAIに完全に置き換えられるレベルの影響を受けるだろうとしています。さらに同論文内の分析を見てみましょう。上の図3-3を見てください。

この図が主張しているのは、本章冒頭でも少し触れた次のような内容です。

「高学歴で高いスキルを身につけた者が就くような賃金が高い職業であるほど、生成

AIによる自動化の影響を受ける可能性が高い。ただし、本当に習得に時間がかかる高度なスキルが必要とされる職業に関してはその限りではない」

図3-3を見てみると、必要とされる訓練が短い、または学位の要求が低く、賃金が低い職業であるほどAIの影響を受けにくく、逆に訓練期間が長く、学位が必要で、賃金が高い職業であるほどAIの影響を受けやすいという傾向があります。ただし、弁護士のように最も賃金が高く、訓練に必要な時間も長い職業については、AIの影響の受けやすさの値は高いものの、その程度は限定的です。

なお、ここで示したのはあくまでもGPT-4が登場した初期の時点での見解ですので、それ以降も急速にAIが発展していることを考えると、実際の影響はこれどころではないでしょう。

「ポランニーのパラドックス」が示唆するコンピュータの限界

たった10年の間で、どうしてここまでの変化があったのでしょうか。それはコンピユータ・AIにできること／できないことの前提が、生成AIの登場でひっくり返ってしまったからです。

「ポランニーのパラドックス」という有名な説があります。これは哲学者マイケル・ポランニーの言葉をもとに提唱されたもので、その内容は「人は言葉で表現できる以上のことを知っている」というものです。この「言葉で表現できる以上のこと」を「暗黙知」と言います。

このパラドックスは、人間の作業の機械化を阻む障害を表すものとして、よく引き合いに出されます。コンピュータは人間がプログラミングして初めて動きます。つまり、人間が言語で表現してプログラミングコードに落とし込むのが難しい動作は、そもそも機械化のしようがないということです。機械化においては、このパラドックスをどうやって乗り越えるかが課題でした。

AI以前にコンピュータの基本的な性能から考えて、「定型作業」が機械化によって置き換えられることは、昔から共有されてきた認識です。定型作業とは、作業内容があらかじめ決まっており、人間の言葉で作業内容を記述できるようなもの、つまり単純な行動の繰り返しで実行できるようなものを指します。

このような作業は、人の手でその内容をコンピュータにプログラミングできます。コンピュータは、人間によって書かれたプログラム、つまり動作するためのルールに従って動作すれば、定型作業を完了できます。

2013年は機械学習・ディープラーニングの本格的な性能上昇が認知され始めた時期です。この時期には、機械学習によって「非定型作業」の一部も機械で置き換えられるという期待が大きくなりました。非定型作業とは、作業内容が決まっておらず、しかも人間の言葉で作業内容を明確に記述できないようなもので、まさにポランニーのパラドックスで言う「暗黙知」が関わる作業です。

たとえば、運転は交通状況や天候などに左右され、同じルートであっても作業内容は毎回異なります。もっと簡単な例で言うと、猫と犬を見分けるといった識別も非定型作業です。人間はこれを簡単にやってのけますが、実は犬と猫を見分けるルールを言葉で明確に表すのはかなり難しいことです。異常検知も非定型作業の1つです。人間の「なんか変だなぁ」という感覚の「なんか」は、言語で表すことの難しさを端的に表しています。

ＡＩなら「非定型作業」でも代替できる？

機械学習・ディープラーニングは、人間が作業をプログラミングするのではなく、データから自ら学習することにより、このような非定型作業の一部を可能としました。これらの非定型作業は確かに言葉で表すのは難しいのですが、作業の実例や正解データ自体はいくらでも存在しますし、作業の過程はともかく、作業で達成されるべき目標や成果は明確です。それらをＡＩに学習させれば、言葉にできない作業過程も自律的に学んでくれるというわけです。

つまり、「ポランニーのパラドックス」で言う暗黙知の一部分は、機械にも学習可能であることが明らかになったのです。

ここまでは先ほど紹介した論文「雇用の未来」においても、ＡＩ／コンピュータによって代替できることとして前提にされていた部分です。ただし、この論文でも、Ａ

Iには将来的にも難しいとされていた能力があります。論文内では「創造的知能」と「社会的知能」とされていた能力です。

創造的知能とは、作曲や科学研究など、新しく価値あるアイディアを思いつく能力です。社会的知能とは、交渉や説得のように、人間の感情を重視した対人コミュニケーションを行う能力です。

これらの能力が扱う作業は、非定型作業であるうえに、そもそも何が正解であるかが明確ではありません。ヒットする音楽の正解を誰が定義できるでしょうか？　感動させる詩のつくり方とは？　どんな人も納得させる説得術とは？　ノーベル賞を取れる研究のやり方とは？　受ける広告のコピーとは？　いずれも正解を用意することは不可能です。

確かに、過去にヒットした曲や成功した研究、人の会話や文章のリストなど、正解データらしきものは集められます。これらを学習することで、過去に存在したものを模倣することはできるでしょう。

しかし、こうした作業で求められているものは、本質的に「今まで存在しなかった現象に対応する」ことや「これまでにない価値のあるものを生み出す」ことです。過去に存在したものをデータから学習して模倣するだけでは、あまり価値がありませんし、未知の事象に対応できないでしょう。

「ポランニーのパラドックス」は部分的には否定されたが、少なくとも短期的には機械化できない部分が残るだろう。そして、これらの能力を必要とする職業の大半は、高学歴で長いトレーニングを積んだ者が担う高賃金の職種である。これが2013年から生成AI革命前までの大多数の考えでした。

ところが、生成AIは、この考えをひっくり返してしまいました。OpenAI社らが2023年時点で問題にしているのは言語生成AIだけですが、言語を扱う職業だけで見ても、生成AIが創造的かつ社会的な能力を必要とする仕事を実行できることは明らかです。

現在の生成AIも、2013年時点で登場していた機械学習・ディープラーニング技術の延長です。では、その技術をもってしても「できないだろう」と思っていたことが、生成ＡＩではなぜできてしまったのか。

まだ研究途上の部分も多くありますが、現時点である程度説得力のある説を述べるとすると、人間の創造的な作業とされてきたものの大半は、実は「過去の経験のなかから、価値のある新しい組み合わせを見つけること」であり、生成ＡＩは膨大なデータ学習からこれを見つけられるようになった、というものです。

また、社会的知能についても、第2章で説明した人間のフィードバックを加えた強化学習などの調整を行えば、ある程度は実現可能であることがわかってきました。

生成ＡＩでも代替できないのは、頭を使わない簡単な作業？

それでも、依然として生成ＡＩの影響をほとんど受けない職業もあります。

これを説明するために、もう1つのパラドックスをご紹介しましょう。「モラベックのパラドックス」というものです。ロボット工学者のハンス・モラベックの名を冠したこの主張は、「ＡＩにとっては、人間がよく考えて行う高度な作業は簡単だが、人間が特に何も考えず簡単にこなしていることは難しい」というものです。

たとえば、プログラミングコードを使ってシステム開発をしたり、高度なアルゴリズムを書いたりすることは、かなり頭を使う作業です。将棋や囲碁といったゲームをプレイしてプロを打ち破ることは、普通の人が頭を使ってどうにかなるレベルではありません。これらは人間のなかでも、一部の天才や高度なトレーニングを積んだ者にしかできません。しかし、すでに見てきたように、現在のＡＩはこれを簡単にできてしまいます。

では、服を畳む、食べものを箸でつまむ、散らかった部屋で移動する、ものを探して持ってくる、スキップする、といった作業はどうでしょうか。これはほとんどの人間が簡単にできることです。

多くの人にとってプログラミングは難しい作業ですし、藤井聡太さんを将棋で倒せる人は、少なくともアマチュアでは一人も存在しないかもしれません。それに対して、箸を使ったりスキップしたりすることを難しいと感じる人は、まさかいないでしょう。人間であれば小学生か、下手すれば幼稚園児でもできることです。

しかし、ＡＩにとってはこれが大変困難なことなのです。現時点では、これらの作業を実行できるＡＩは存在しないか、相当に限られた範囲のことしかできません。生成ＡＩが登場したあともこの点は変わらず、「モラベックのパラドックス」はいまだに健在です。

「GPTs are GPTs」で示されていた生成ＡＩ登場後の「ＡＩの影響を受けにくい職業」とは、まさにこのあたりの能力を必要とする作業、つまり肉体労働を中心にした職種です。皮肉なことに、人間にとっては一般的に賃金が低い傾向にあるこれらの職業は、ＡＩで代替するのが最も難しい職業だったのです。

頭脳労働は生成ＡＩなどを実装した機械に奪われてしまい、創造性を発揮する余地はなくなるのではないか？　そんな悲観的な考えが頭をよぎります。

機械化・ＡＩ化によって「仕事が奪われる」とは限らない

それではここからは、「機械化による影響を受ける」という事象についてもう少し詳しく考察していきます。

実は先ほどから、「AIによって仕事が奪われる」という表現は一度もしていません。ここまで議論してきたのは、ある職業が影響を受けやすいか、受けにくいかというものです。

生成AIなどの技術による労働への影響を考える場合、その技術が「労働補完型」の技術なのか、「労働置換型」の技術なのか、分けて考える必要があります。

労働補完型の技術とは、人間の労働を補助し、その労働自体を楽にしたり、生産性を上げたり、新しい仕事を生み出すきっかけになるような技術です。一方の労働置換型の技術とは、文字通り人間の労働を完全に置き換え、人間が介在する余地をなくしてしまうような技術です。

労働がある技術の影響を受ける場合、その技術が労働補完型であれば、単純に現在の仕事を奪われるという事態にはなりません。むしろ、その技術によって労働が効率化され、賃金が上昇する可能性があります。仮に現在の労働がほとんど機械に置き換わってしまった場合でも、その技術自体が新たな労働を生み出すことで、そのマイナスの影響を打ち消すことができます。

第二次産業革命で登場した電気や、それを応用した大量生産技術などは労働補完型の技術であったとされ、実際に当時の雇用は増え、賃金も上昇したという研究結果が出ています。

逆に、産業革命初期に登場した紡績機、力織機などは労働置換技術であったとされ、スキルを持った労働者が不必要になり、そのような労働者が就ける代わりの仕事も生み出さなかったようです。

なお、この労働補完型か労働置換型かという議論は、あくまでも影響を受ける労働者の視点からの問題となります。どちらの技術であっても、最終的に産業発展が起きれば、それらの技術を採用した資本家や後世の人間は、その発展の利益を享受できます。初期の産業革命で生まれた技術はほとんど労働置換型でしたが、人類の産業の発展という観点で見ると、すさまじい恩恵をもたらしました。

生成ＡＩは労働補完型か？　労働置換型か？

それでは生成ＡＩは労働補完型の技術なのでしょうか。それとも労働置換型の技術なのでしょうか。

実は、その技術がどちらであるかは、技術そのものだけを見てもわかりません。仕事の一部を自動化するのは補完型／置換型のどちらでも同じですが、人間が介在する余地が残るかどうかは、その仕事の元々の複雑さに依存します。元の仕事が一定以上複雑な場合、技術を投入しても、その技術自体をコントロールする人材や最終的な出力を責任を持って選択する人材は、依然として必要です。

また、その技術が新しい仕事を生み出すかどうかは、正確に予測しようがありませんし、もし生み出すとしても、その仕事がどのようなものになるかは未知です。

現時点では、研究者の間でも意見が分かれています。どちらかというと、生成ＡＩは労働補完型の技術であり、既存の労働をより生産的に、より快適で質が高いものにするという説が多い印象です。

ただし、完全に今の雇用が維持されるという楽観的な考えもまた少ないようです。新たなスキル獲得に向けた教育の提供や、雇用が失われた場合のセーフティネットの整備など、社会的、政治的な取り組みの必要性が強調されています。

生成AIによる生産性向上を示す複数の実験結果

ここからは具体的に、労働のどのような領域に生成ＡＩが関わってくるのか、そしてそれがどのような恩恵をもたらすかを見ていきます。

生成ＡＩがどれだけ経済的な利益をもたらすのか、どれだけ生産性を向上させるのかについては、すでにいくつかの試算が出ています。

マッキンゼーの報告では、生成ＡＩにより６７０兆円以上の経済効果が世界にもたらされるとしています。これはすさまじい額です。イギリスの国内総生産が４５０兆円程度ですから、生成ＡＩによってイギリス一国の１・５倍もの経済効果が世界にもたらされることになります。

マサチューセッツ工科大学（MIT）は、プレリリース、短文レポート、分析報告書や計画書、電子メールでのやり取りなど、文章執筆に関わる仕事に関して、生成AIが与える具体的な影響について調査しています。それによると、ChatGPTをこれらの仕事に使うことにより、仕事を終えるまでの所要時間が平均40％減少し、アウトプットの質も18％向上したとのことです。この実験でChatGPTに触れた労働者は、「実際の業務でChatGPTを使用したい」と答える割合が実験後に2倍になっています。

また、これは複数の研究で報告されていることですが、生成AIを使うことにより、労働者間のスキルの不平等が減少したという事実があります。つまり、すでに高いスキルを持っている労働者への影響は最低限で、新人労働者などに対して最も大きな影響を与えたということです。多くの場合、スキルが低い労働者が、スキルの高い人と同等のアウトプットができるようになるとされています。

ただし、これらの研究の見方には注意が必要です。まず、これらの研究は長期的な雇用への影響については考慮していません。企業や労働者が生成AIを採用することで、労働市場には長期にわたって大きな変動があることが予想されますが、それは

図3-4　業務タスクにおけるChatGPT使用の有無による生産性の比較

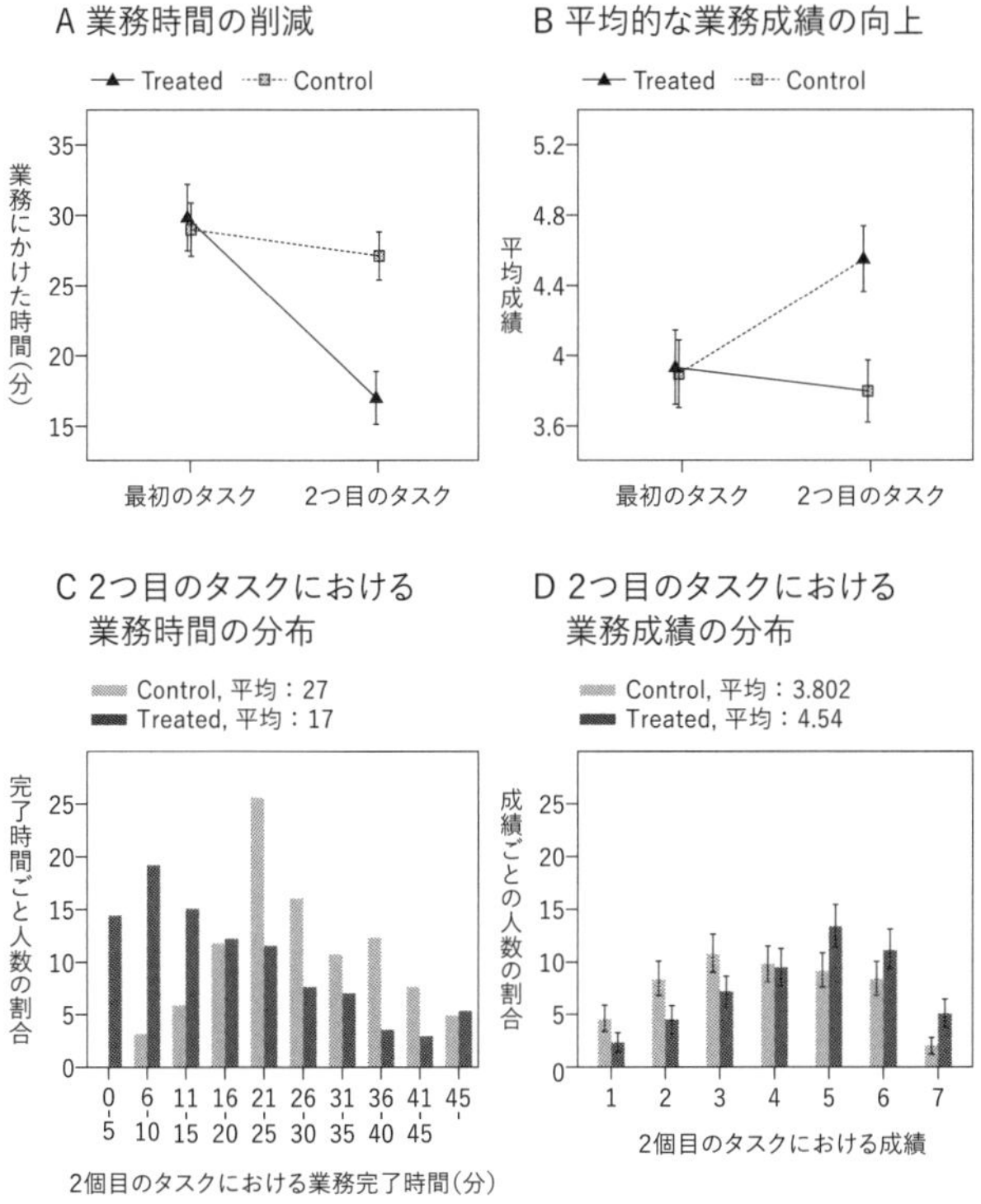

〈注〉使用するグループ（Treated）と使用しないグループ（Control）に分け、最初のタスクではどちらのグループもChatGPTを使わず、2つ目のタスクではTreatedのグループのみChatGPTを使用
出典："Experimental evidence on the productivity effects of generative artificial intelligence"をもとに作成

図3-5　業務タスクにおけるChatGPT使用による業務満足度と自己効用感の向上

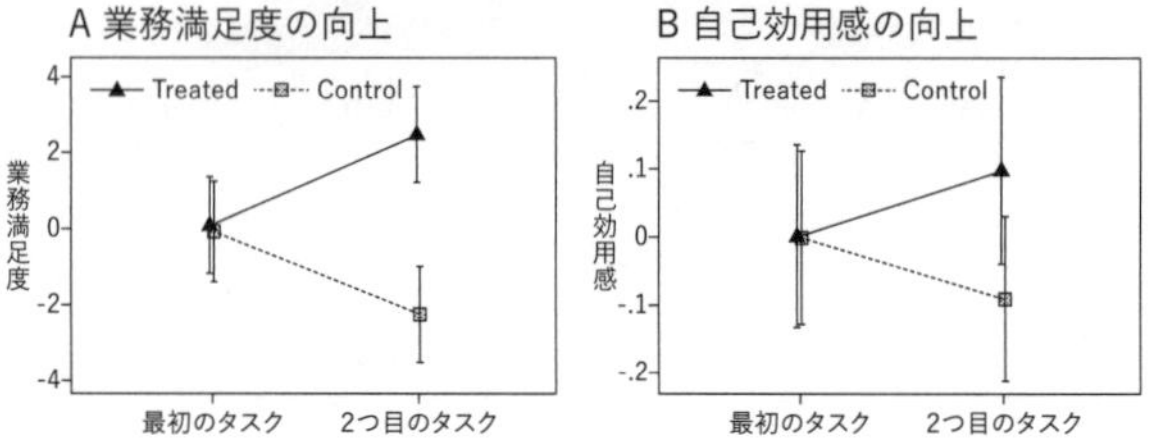

〈注〉使用するグループ（Treated）と使用しないグループ（Control）に分け、最初のタスクではどちらのグループもChatGPTを使わず、2つ目のタスクではTreatedのグループのみChatGPTを使用

出典："Experimental evidence on the productivity effects of generative artificial intelligence"をもとに作成

実験室での1回きりの実験で測ることはできません。

需要の大きな伸びが期待される分野であれば、生成AIによる生産性の向上がそのまま市場の拡大につながります。労働者が以前より高い生産性を得ることにより、以前には対応しきれなかった潜在的な顧客に対するサービス提供が可能となります。その結果、当該分野の雇用は増加することになります。

一方、需要がすでに頭打ちだった場合は、生成AIを使うことで一人ひとりの労働者が対応できる量が増加するため、必要な労働者の量が減り、雇用の減少につながる恐れがあります。

　こうした外部的な要因が、とある技術が労働に与える影響を分析するうえで難しいところです。これらは本質的に長期にわたる検証が必要な問題であり、いくら生成AIを使った短期的な実験を行っても、結論を出すのは困難です。

　おそらく今後も、生成AIと労働に関する実験は多く出てくるでしょうが、そこでいくら生産性の向上などが強調されていても、雇用や賃金などは外部要因によって決定されることを理解しておく必要があります。

すでに生成AI導入が進む「カスタマーサービス」分野

　ここからは、生成AIが特に利用されるであろう個別分野におけるユースケースについて考察していきます。生成AIの現場への導入はまだ始まったばかりで、業務のどの部分に組み込むかはまだ手探り状態ですし、長期的に良い影響があるかは不透明です。

ただ、カスタマーサービスとソフトウェア開発の2分野に関しては、生成ＡＩブーム以前に、分野固有の事情から生成ＡＩの導入が比較的進んでいたという特徴があり、その影響についても長期的な視点での報告があります。

カスタマーサービスは、現時点で生成ＡＩが最も威力を発揮するとされている分野です。生成ＡＩの流行以前から、この機能に特化したＡＩを導入して顧客対応を行っていた企業が多く存在したという調査結果もありますし、長期の影響を分析した詳細な研究結果も報告されています。

カスタマーサービスにおける生成ＡＩの強みは、サービスの質を落とさず、場合によっては高い顧客満足度と高速化を達成しつつ、顧客とのやりとりを半自動化できることにあります。

また、この分野には、新入社員では生産性が低く、トレーニングコストが大きいにもかかわらず、離職率が高いという背景があります。これらの問題が、企業が生成ＡＩを導入する強い動機となっています。

実際にはさまざまな導入形態があると思われますが、ここでは一例として、ＭＩＴ

などによる既存研究で紹介されているシステムを取り上げます。この研究は、実在の生成ＡＩシステムを導入したある米国大手ソフトウェア企業を対象に、５０００人以上の利用者数かつ数ヶ月以上の期間の実運用データをもとにしており、企業での生成ＡＩ導入の実例として大変興味深いものです。

この生成ＡＩシステムは、ソフトウェア製品に関する顧客の技術的質問に答える人間のサポートをするものです。顧客の質問と過去の会話を入力し、「エージェントが顧客に返す回答文章」と「顧客の質問に関連する社内文書へのリンク」の２つを出力します。

この出力はエージェントのみに提示され、顧客には見せません。生成ＡＩは、専用に特化したものであっても時に不適切な出力を行いますが、あくまでエージェントへの提案システムとして導入することで、不適切な出力を顧客に返すリスクを回避しつつ、エージェントの作業を効率化できます。

同じ質問でも、顧客の背景に応じて回答が複数考えられるため（たとえば顧客が使っている製品バージョンなど）、システムは複数の解答案を生成します。

単にシステムに回答させるだけだと、内容はともかく、相手の感情を考慮しない無機質な回答になります。この例では、専用の学習、あるいはプロンプトを工夫する（たとえばプロンプトの冒頭に「熟練のカスタマーサポートとして回答してください」という文を入れる）ことにより、良い結果を引き出せそうな回答には、「この質問に関してはお力になれそうです！」や「この件をお手伝いできるのは光栄です！」といったフレーズを付け加えて回答するよう学習していきます。

AIにより「カスタマーサポート」の質・生産性・満足度が向上

さて、このシステムを導入することで、本当にカスタマーサポートの主要な指標を改善できたのでしょうか。

まずは生産性です。これは1時間あたりにエージェントが解決した質問数によって計測できます。平均で見ると、このシステムの導入で生産性が14％向上していました。

この研究では、システムを利用するエージェントがスキルの高さによって分けられ、それぞれ個別の結果も報告されています。システムを利用した生産性の向上効果は、最もスキルが低い労働者（Q1）が最も大きく、1時間あたりの解決率が35%向上しています。一方、最もスキルが高い労働者（Q5）の場合、ほとんど解決率の向上が見られません。

システム導入後の労働者と顧客の満足度（ポジティブな感情）はどうでしょうか。次ページの図3-6を見ると、両者とも上昇傾向にあり、特に顧客の満足度の変化は非常に大きくなっています。また、カスタマーサポートは特に離職率が高い職業であると最初に説明しましたが、システムの影響は離職率を下げる方向に作用し、離職者が平均して9%近く減少するということです。

これらの結果を総合して考えると、生成AIシステムの導入は、労働当事者の満足感を上げつつ、仕事の質も向上させ、さらに顧客の満足度も上げるという非常に良い影響があることになります。

ところで、このシステムはあくまで回答の候補を提案するものでしたが、そもそもエージェントはこの提案を採用しているのでしょうか。これについては面白い結果が

図3-6　生成AI提案システムを導入した場合の業務改善

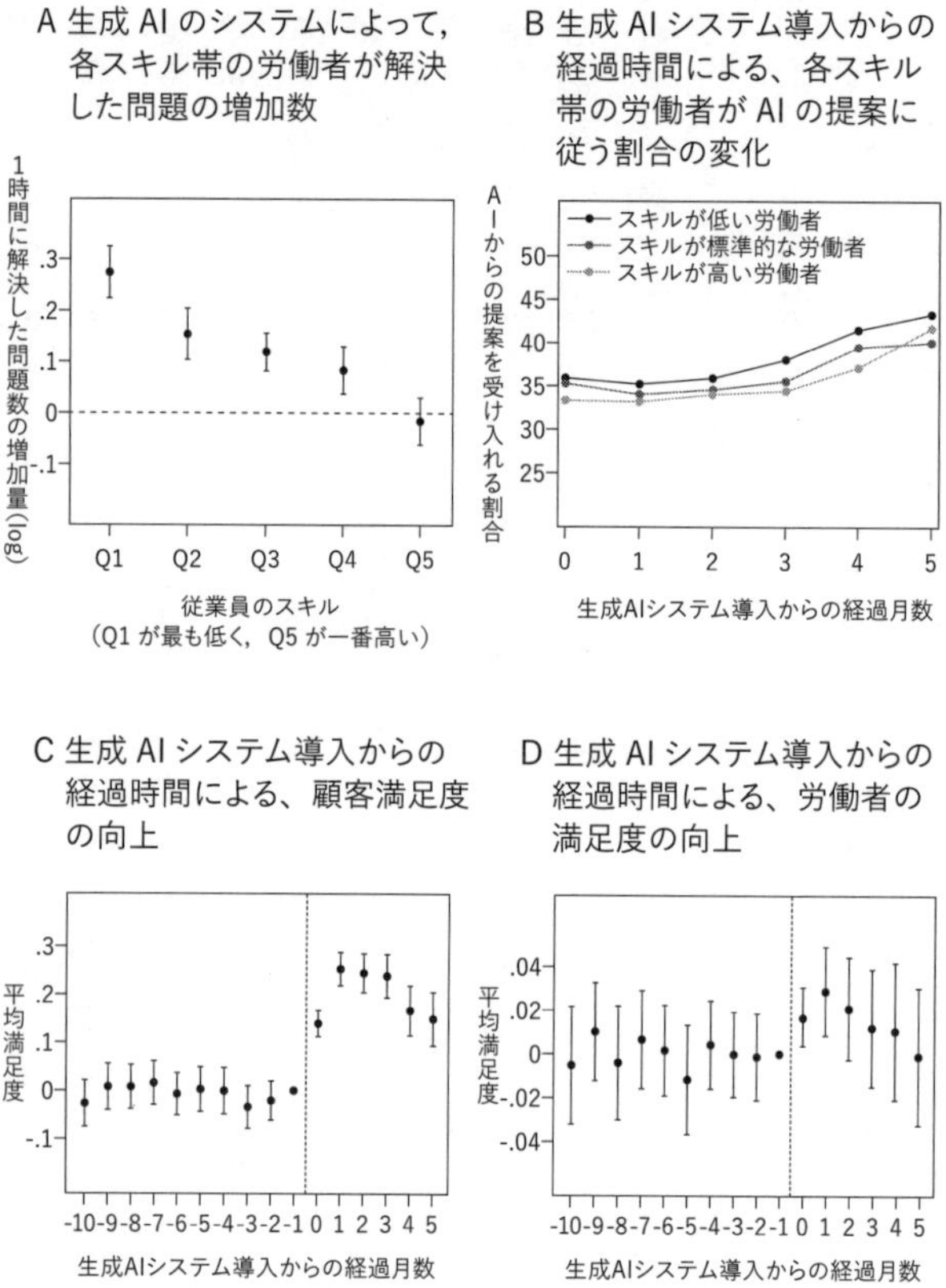

出典：“Generative AI at Work”をもとに作成

報告されています。

システム導入の初期には、最もスキルが高い労働者はシステムの提案を拒否する傾向があったようです。しかし、時間の経過とともに、どのスキル帯の労働者もシステムの提案を受け入れるようになり、最終的な変化の割合は最もスキルが高い労働者で大きくなっています。

スキルが高い労働者は、当初は自分のスキルへの自信ゆえにＡＩの出力を拒否するものの、最終的には生成ＡＩの提案の質や価値を認めるようになるということの傾向は、生成ＡＩが別の分野に導入される場合にも参考になるでしょう。

すでにプログラマーの仕事の半分は自動化されている？

ソフトウェア開発における生成ＡＩは、私自身が積極的に利用していることもあり、定量的な研究成果に加え、当事者の生の声もお伝えしたいと思います。この部分に関しては主観的な記述も多くなりますが、その点はご留意ください。

「ChatGPT以前のソフトウェア開発は石器時代だった」とは、ある開発者の言葉です。

第1章でも触れましたが、言語生成ＡＩが持つプログラミングコードの生成能力は驚異的なものです。ChatGPT登場当日、私が最も驚き、「これは本当にすごい」と確信したきっかけは、このプログラミングコードの生成能力を目の当たりにしたことでした。

ここからの話は、生成ＡＩの導入が最も良い方向に作用した場合にはこれほどの効果がある、という事例として参考にしていただければと思います。

ソフトウェア開発における生成ＡＩの導入は、以下の３つの形態に分けられるでしょう。

①逐次的にコードの続きを提案してくれるシステム
②対話的にコードを生成してくれるシステム
③指示を出すと実行結果を含め、全部のコードを生成してくれるシステム

図3-7 「Copilot」で自動生成されたコード

```
# Q学習の関数
def Qlearning(state, action, reward, next_state, alpha,
    gamma, Q):
    # Qの更新式
    Q[state, action]=(1 - alpha)* Q[state, action]
    * (reward + gamma * max(Q[next_state, :]))
    return Q
```

※「def」以降の太字部分は「Copilot」で自動生成されたコード

出典：「GitHub Copilot」にて筆者作成

①は、Microsoft社傘下のGitHub社というプログラミングコード共有システムの企業が開発した、プログラミング支援ツール「GitHub Copilot」というものが該当します。

図3-7は、GitHub Copilotを用いて、私が作成したプログラムコードです。とはいえ、実際に書いたのは「def」の部分まででであり、続きから「return Q」まではすべてCopilotに搭載された生成AIが提案しています。この提案を受け入れると、提案内容がそのまま書き込まれますし、提案を無視して自分で続きを書くこともできます。

②は、いわゆるChatGPTのような対話

的生成ＡＩシステムです。プログラミングに関する自然言語のプロンプトを入力してコードを生成、ユーザー側でコードを実行して、そのフィードバックをユーザーが「エラーが出た」などと入力し、再びコード生成、実行と繰り返すような使用を想定しています。

③のレベルまでできる生成ＡＩシステムの例はまだあまりありませんが、OpenAI社が２０２３年7月に公開したChatGPTのプラグイン「Advanced Data Analysis」が該当します。

①については、GitHub Copilotがプログラマーの生産性をどれだけ向上させたかに関して、長期にわたって調査した報告と研究論文があります。２０２１年のテクニカルレビュー期間から、GitHub社は定期的にCopilotの使用状況に関する統計データを発表していますが、ここでは２０２３年前半に公開されたデータを参照します。

Copilotユーザーが書いたプログラムは、その約半分（46％）がＡＩの提案をそのまま受け入れたものであるという結果が出ています。つまりCopilotの導入により、開発者の仕事のほぼ半分が自動化されたことになります。この割合はプログラミング言語によって異なりますが、Javaの開発に関しては60％を超えており、もはや人間よりもCopilotが書いたコードの割合が高いという驚異的な結果になっています。

次ページの図3-8は、生産性に関わる要素について、開発者視点の評価を示しています。ほとんどの項目で7割以上の開発者から高い評価を得ています。

また、GitHubがMicrosoft社やMITと共同で行った研究では、開発者をCopilotを使う／使わないの2つのグループに分け、あるプログラミング言語を使ってサーバープログラムを開発するというタスクを行わせました。

この結果、Copilotを使わなかったグループの開発者が平均161分でタスクを完了させていたのに対し、Copilotを使ったユーザーはその半分以下の平均71分でタスクを完了させたという結果が出ています（図3-9）。つまりCopilotを使うことで、生産性が2倍以上アップしていることになります。

図3-8 「Copilot」による生産性向上についての開発者視点の評価

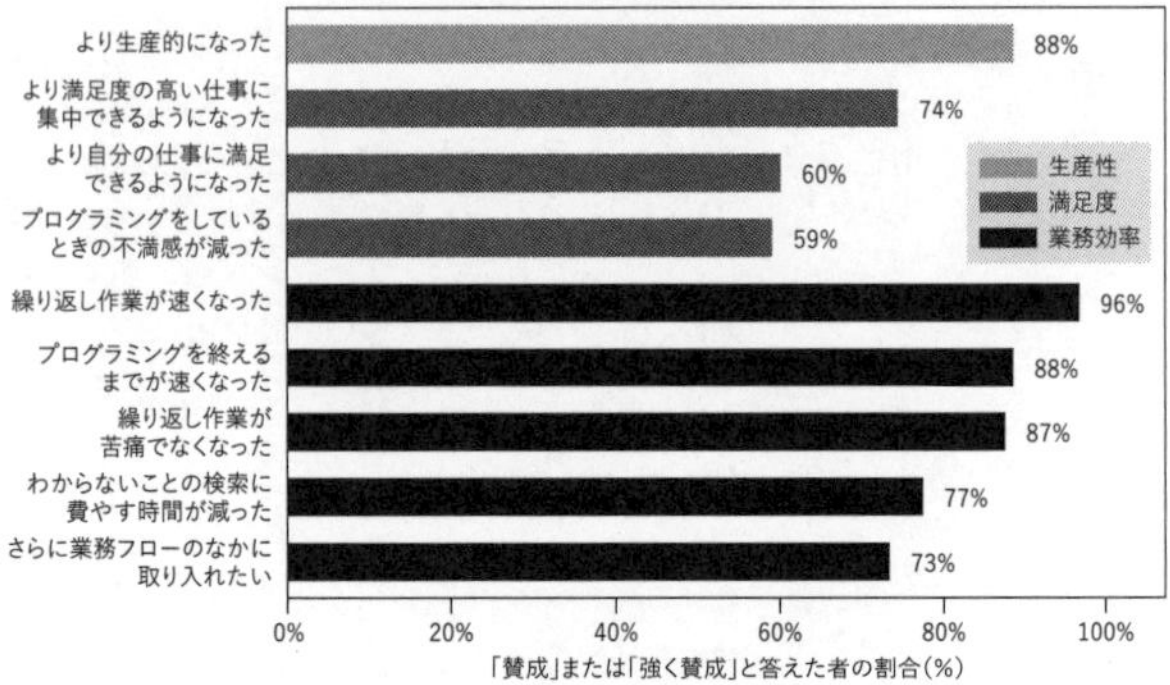

出典："Measuring trends in Artificial Intelligence"をもとに作成

図3-9 「Copilot」使用の有無による開発者の生産性の比較

	GitHub Copilot 使用	GitHub Copilot 未使用
開発者の数（人）	45	50
課題を完了できた割合（%）	78	70
課題を完了するまでにかかった平均時間（分）	71	161

出典："Measuring trends in Artificial Intelligence"をもとに作成

プログラミング言語を使わなくてもプログラミングが可能に？

ChatGPT登場以降は、ChatGPTに「ブラウザで遊べるブロック崩しゲームのコードを書いてください」といったプロンプトを入力し、コードを出力させる開発者が増えています。Copilotと異なり、人間の自然言語の要求に対し、その要求を満たすコードをまとめて書いてくれます。

自然言語を使うという性質から、まったくのプログラミング初心者でもある程度の作業が可能な使い方です。「これからの主要なプログラミング言語は自然言語になり、誰でもできるようになるだろう」と言う人も存在します。

対話形式という性質を利用すれば、エラーが出た場合は修正を求めることができ、コードが足りない場合は続きを要求することもできます。また、ChatGPTの高速な読解力と広範な知識を活かして、単なるコードの生成以外にも「他人のコードの読解」「エラー箇所の指摘」「計算効率が高いコードへの変換」「別のプログラミング言語への変換」といった用途でも使用できます。

これらは従来、人間の開発者がどれだけ知識を持っていても、人間の脳の処理能力の限界から、どうしても時間がかかる作業でした。しかし、ChatGPTは数秒でこなすことができます。

また、2023年7月に実装された「Advanced Data Analysis」にいたっては、実装したいものの要求とデータを渡せば、プログラムの実行結果も含めて必要なすべての作業を自動でやってくれます。

実際にどれくらい生産性が上がったのか、定量的に表すのは難しいのですが、どれだけ低く見積もっても2倍以上、5倍、10倍という数字でも納得できるレベルです。開発者を100人、1000人と雇っている企業であれば、全体としての恩恵はすさまじいものになるでしょう。

営業や販促における生成AIの活かし方とは?

さて、ここまで生成AIの導入が最も進んでいる2分野について見てきました。結論として、生成ＡＩを業務に組み込むことで、生産性が上昇し、労働者の満足度、顧客の満足度が上昇することについては、ある程度長期的な運用を考慮したとしても明らかです。

ここからは、さらにマーケティング・営業、研究などの分野における生成ＡＩの導入とその影響について考えていきます。なお、先ほどの２つと異なり、これらの分野についてはまだ生成ＡＩ導入を検討している黎明期であり、内容は信頼できる研究に基づいていないことには注意してください。

マーケティングや営業は、文章や視覚によって顧客に積極的に働きかける分野であり、特に生成ＡＩの恩恵が期待できる分野の１つです。

この分野における従来のＡＩ利用は、構造化された数値データなどをもとにした予測が中心でしたが、生成ＡＩは非構造データを入力として、コンテンツを直接生成できる点で異なります。コンテンツの良さは、数値化できない職人芸的なノウハウの影響を受けていましたが、生成ＡＩはこのあたりの暗黙知も反映できる点が利点です。

簡単なところでは、製品説明の初稿を作成するためのアイディア出しとして使えるでしょう。さらに一歩踏み込んで、顧客の情報を利用し、パーソナライズされた最適な商品説明や商品画像を生成することも考えられます。

複数言語・文化圏にまたがる販促キャンペーンでは、単に翻訳をするだけでなく、顧客の文化的背景も考慮したうえで、効果的な文章や画像を生成できます。営業では、顧客との会話を促進するスクリプトを、生成ＡＩを使って事前に得るという使い方も考えられます。

また、ChatGPTのような言語モデルを、人格を持った仮想的な顧客と見なすこともできます。これにより、想定する人格を考慮したコンテンツを生成したり、すでに用意された商品説明や画像の反応を分析したりすることもできます。

研究者は積極的に生成ＡＩを取り入れている

研究における生成ＡＩは、検討中の部分も多いものの、すでに多くの導入事例があります。筆者自身も、すでに研究活動のなかに生成ＡＩを利用したアプリケーションを多く導入しています。まさに生成ＡＩそのものを研究している研究者は、自分たちの過去の論文や図、その他研究に関するコンテンツを積極的に学習させ、研究プロセスの自動化、効率化を目指しています。

研究の基本となるのは、文字列の塊である論文です。研究者の研究活動の大半は、この論文の発見、読解、執筆に費やされます。そのため、この分野に関しては言語生成ＡＩとの相性が非常に良く、すでに大量のアプリケーションが存在します。具体的には、文献の発見と内容の解説を行ってくれる検索アプリ、論文をそのまま入力して論文の内容に関する質問に答えてくれるアプリ、論文の執筆時に続きの文章を提案してくれるアプリなどです。

ChatGPT登場以降にプログラミングに次いで生産性の向上を感じるのは、まさに研究におけるこのあたりの部分です。

研究のアイディア自体を生成ＡＩに出力させようとする試みもあります。研究は、本当に新しいことをゼロから思いつくことは少なく、既存のアイディアの意外な組み合わせから生まれることがほとんどです。生成ＡＩはこのような意外なアイディアの組み合わせを、膨大な知識に基づき高速に生成できます。

アイディアを出す研究分野の指示や、最終的にそのアイディアを採用するかを決めるのは人間であり、人間とＡＩが協働した新しい研究プロセスと言えるでしょう。

また、化学や生物学などの分野では、生成ＡＩを用いて研究の対象となる分子構造などを出力させる試みがあります。これにより、新薬や素材の開発を加速させ、時には人間では思いつかないような構造を生み出すことができます。

実際に、ブーム以前から生成ＡＩを創薬に応用していた企業が、ある指定難病を治療する新薬候補を生成ＡＩで特定し、患者への投与に進んだ事例が報告されています。創薬には通常、10～20年以上もの時間がかかる長大なプロセスを必要とします。そのなかでも薬の候補となる新規物質を発見する最初の基礎研究プロセスでは、さまざまな化合物をつくり、その性質を調べる必要がありますが、これは生成ＡＩが得意とする「新しい組み合わせを高速に生成し、探索できる」性質と非常に相性が良いのです。研究プロセスのほとんどを自動化する試みも、生成ＡＩの登場以降行われています。

現時点ではまだ理想論にすぎませんが、私の所属する研究室では人間の問題解決のボトルネックを解消するため、研究プロセスのほとんどを自動化する研究プロジェクトが行われています。研究を「課題策定」「研究実行」「成果発表」のフェーズに分け、各フェーズで生成ＡＩの読解、執筆、アイディア生成の機能を利用しています。なかには、生成ＡＩを利用し、ノーベル賞を取れるＡＩをつくろうという野心的なプロジェクトも存在します。

健康管理や趣味にも活かせるツールに

利益を生み出すことを目的としない日常生活の一部にも、近いうちに生成ＡＩが浸透することが予想されます。ここからは、一般的な家庭生活、教育、医療などの日々の暮らしに関わる分野における生成ＡＩの可能性を探ります。

現時点では、生成ＡＩのインターフェースの問題や、技術に疎い一般ユーザーを想定していない仕様から、一般的な家庭生活レベルでは生成ＡＩの利用が普及しているとは言いがたい状況です。

ただ、普及の状況はともかくとして、言語生成ＡＩそのものや、それを補強するツールに関しては、すでに家庭生活をサポートするのに十分な性能に達しています。ここでは、現時点の生成ＡＩでも十分に実用的な活用法をいくつか挙げておきます。

ChatGPTのような言語生成ＡＩは、膨大な知識を持っており、食や栄養学、健康など日常的に必要な情報も例外ではありません。健康や栄養のバランスを考えた食の提案、生活習慣の見直し、トレーニングメニューの策定などといった活用法が考えられます。

また、検索のような一方通行的な記述ではなく、適宜こちらの質問や方針の変更などを踏まえた柔軟なアドバイスが可能です。これらは従来、金銭的に余裕がある人物が専属のエキスパートを雇うなどして利用していたものです。生成ＡＩにより、このようなエキスパートと同等レベルの知識を持つアドバイザーを、誰でも個人的に利用できるようになります。

旅行や外食、ゲームなど、趣味や娯楽目的で行っていることであっても、必要な情報を調べたり、計画を立てたりするのは意外と時間がかかるものです。

ChatGPTには、すでにChatGPTプラグインという形で、趣味の補助を目的とする多くの追加機能が公開されています。Expediaや食べログなどのプラグインを利用すれば、個人の目的に合ったプランを提案してくれます。従来は大量の検索結果から必要な情報を発見したり、書籍を購入したりと、手間がかかりましたが、これらの機能により、対話的に必要な情報やプランを得ることができます。

現在の生成ＡＩは、さすがに個人の生活レベルでの細かい知識までは持っていませんが、長期的には個人のデータを使った学習、プロンプトの設計をするなどして、よりパーソナライズされた、より高性能なアプリが開発されると思われます。

生成ＡＩは教師や教材の代わりになる?

教育への生成ＡＩ導入は、まさに現在進行系で議論が続いているところです。日本では文部科学省、各大学が教育目的の生成ＡＩ利用について、それぞれ声明や資料を公開しています。

教育に生成ＡＩを利用することの是非、使用した場合の問題点については、議論が続くなかでいくつかの点では基本的な方針が定まってきているように思います。最終的な方針に関しては、学習効果を考慮して国が決めるものですので、その議論に踏み込むことは避け、ここでは生成ＡＩの研究者・ユーザーとしての視点から、教育目的に役立つようなユースケースを述べるにとどめます。

教育において有効利用すべき生成ＡＩの特徴としては、次のものが考えられます。

◎材料を与えれば、高速に大量の有益な教材を学生の手で生成できる
◎自分とは異なる視点を発見できる
◎一切の遠慮がいらない、気軽にやりとりできる補助的な教師として使える

第2章でも述べましたが、現在の生成ＡＩは事実とは異なる出力をすること（ハル

シネーション）が多くあり、教育目的であっても、何か特定の事実に基づく知識（歴史上の出来事、調査に基づく統計値など）を出力させるのは避けるべきでしょう。教材を生成する使い方としては、事実が問題にならないケースや、知識などの材料をあらかじめユーザーが入力し、生成ＡＩはそれを加工するだけといった場合が考えられます。

たとえば、特定の英単語を覚えたいときに、その英単語を含む短い例文を生成してもらう、暗記のための語呂合わせを生成してもらう、練習問題を生成してもらう、といった使い方です。教師側が教材のたたき台として、全体的な構成を検討・生成してもらうといった使い方も考えられます。

また、生成ＡＩはさまざまな人間が書いた膨大な文書データから学習しており、１つの話題に対して、複数の視点から出力を行うことが可能です。この特徴を活かすことで、生徒、教師のバイアスや知識の限界を超えて、新たな発見の機会を提供してくれるでしょう。

最後に、これは教育に限った話ではありませんが、生成ＡＩは一切の遠慮・配慮がいらないため、個人的な教師や相談相手として使うことができます。こちらがなかなか理解できずに何度質問しても怒られることがなく、相手の時間を気にすることもなく、こちら側の都合の良い時間に、自由な質問を、何度でも聞けるというのは大きな利点です。

ＡＩが医師の診断を上回る項目も？

現時点で、最先端の言語生成ＡＩは、日本やアメリカの医師国家試験に合格するレベルの性能に達しています。ＡＩが持つ医療知識だけを問えば、人間の医師と近いものを持っていると言っていいでしょう。特に医療に特化した言語生成ＡＩは、事実上、人類が蓄積してきたほとんどの医学知識を持っています。

医師の業務には、診察や手術のように患者を直接相手にする仕事のほか、診察記録、電子カルテなどの書類作成に関する仕事が多く存在します。医療知識を持った生成ＡＩは、簡単な指示のみでこれらの文書を作成できます。あるいは、既存の医学文書やデータから必要な情報を高速に検索、要約する用途も考えられます。これらの仕事をある程度自動化できれば、より本質的な診療に集中できるようになるでしょう。

医師と同レベルの診断ができるＡＩも、生成ＡＩの技術発展により現実的になってきています。これが実現すれば、時間や場所に縛られない診療が可能になるかもしれません。また、従来は医師の知識や経験がボトルネックとなり、見逃されていた病気の早期発見につながる可能性もあります。

次ページの図3-10は、Googleが開発した医療特化の言語生成ＡＩ「Med-PaLM2」に対して、医療に関する質問への回答がどれだけ優れていたか、人間の医師が評価したものです。評価項目は「回答が医療や学術的な合意が得られた内容であるか」「回答に害がある内容を含んでいないか」といった軸で構成されており、各項目についてこのＡＩの旧版や人間の医師の回答と比較しています。

結果を見ると、全体的にはまだ人間の医師のほうが優れている項目が多いものの、一部の項目ではすでにMed-PaLM2が上回っていることがわかります。

また、147ページの図3-11は一般人の視点で、Med-PaLM2らの回答が「質問

図3-10　医療に関するAIと医者による回答に対して、医者が行った評価

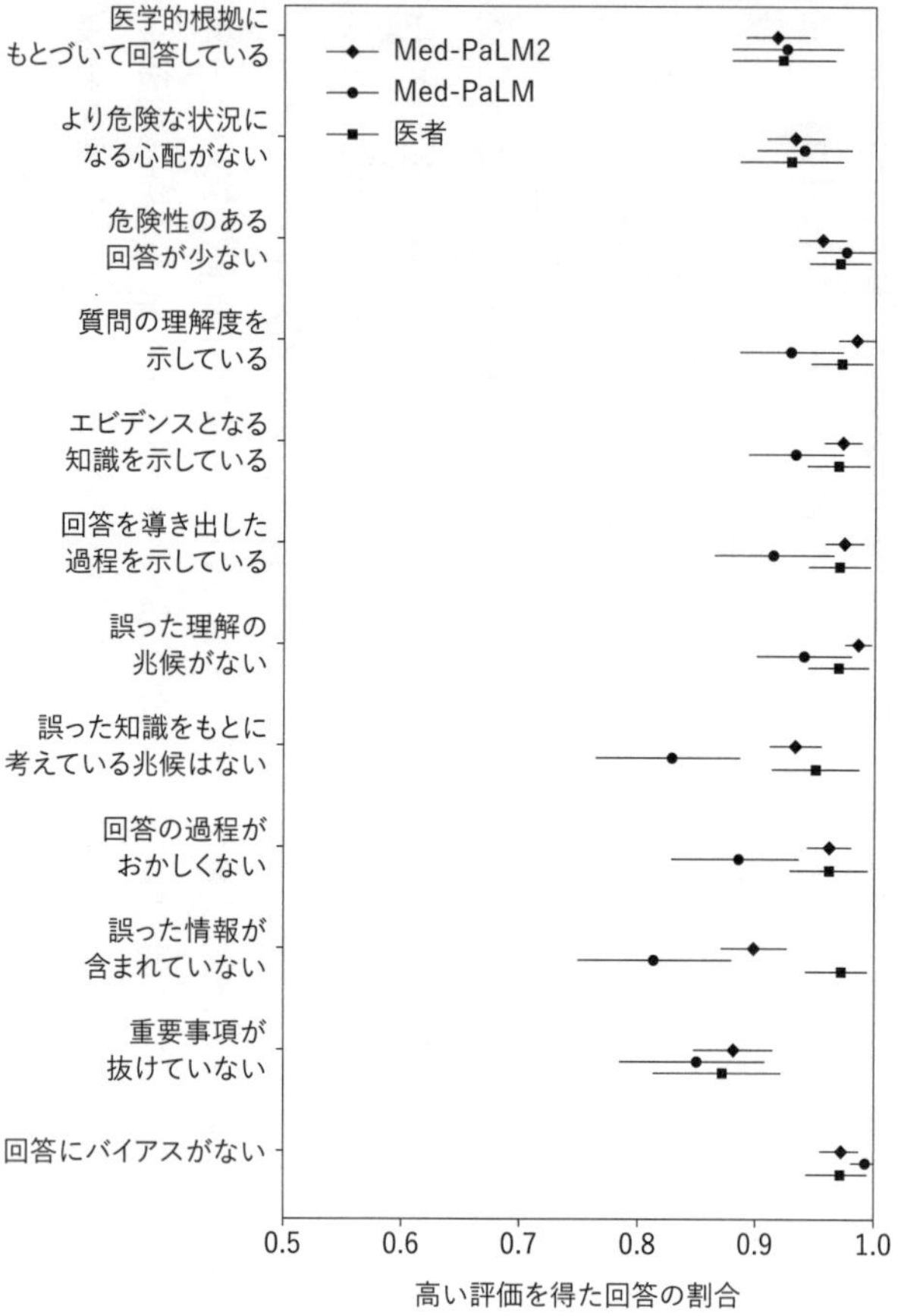

出典："Towards Expert-Level Medical Question Answering with Large Language Models"をもとに作成

図3-11　医療に関するAIと医者による回答に対して、一般人が行った評価

回答は質問の意図にどれだけよく答えているか

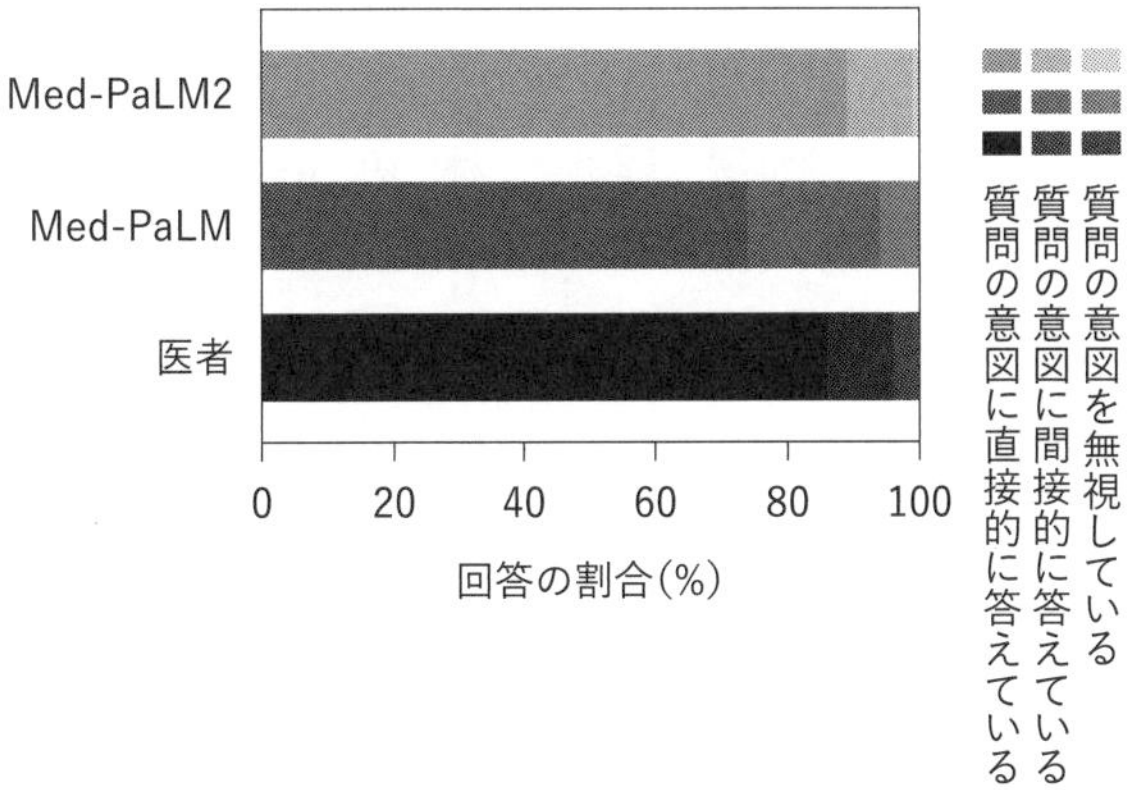

回答がどれだけ質問者にとって役立つものであったか
(たとえば、決断を下すのに役立ったり、次にすべきことが
明らかになるようなものであったか)

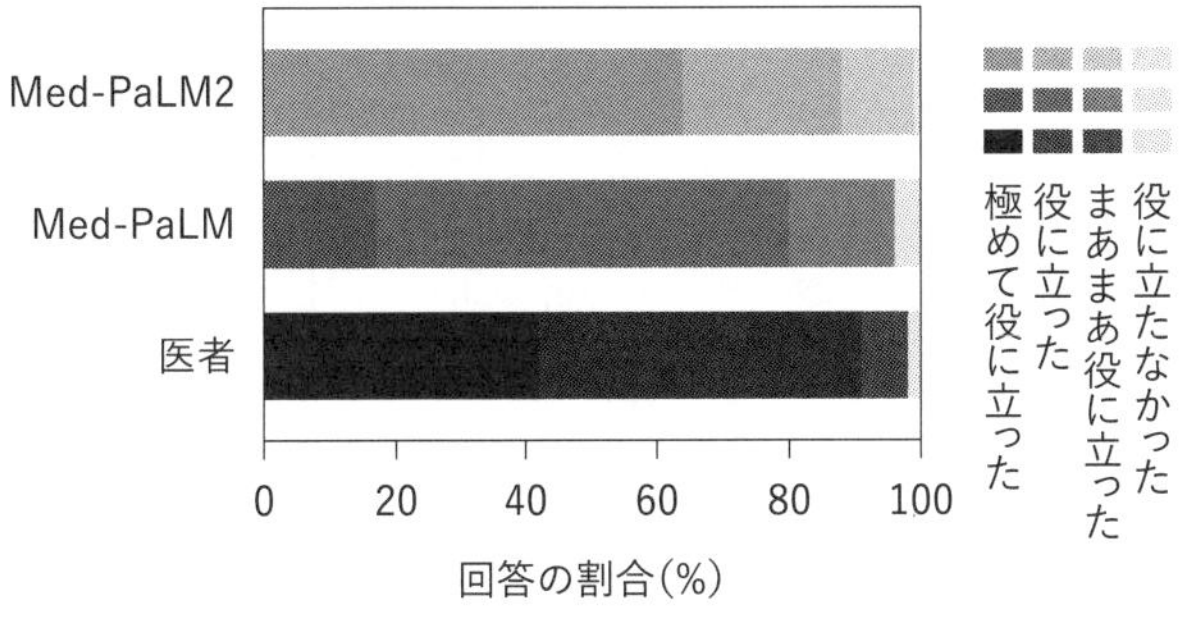

出典："Towards Expert-Level Medical Question Answering with Large Language Models"をもとに作成

ものです。これについては、どちらの項目もMed-PaLM2が人間の医師を上回る評価となっています。

少なくとも患者の視点では、現時点で最先端の医療特化の言語生成ＡＩは、すでに人間の医師と遜色ない回答ができるレベルに達しています。

ただし、医療は患者の命に直接関わる分野であり、導入には慎重になる必要があります。研究上は高い性能を示していても、その評価項目は限定的なものであり、安全性、信頼性、倫理、プライバシーなど、検討すべき項目はまだ多く存在します。

医師の業務効率化はともかく、診断への応用については、最終的な判断は人間の医師が行い、このような生成ＡＩの出力は患者や医師の意思決定支援に使うという状況がしばらく続くと考えられます。

第4章

AIが問い直す「創作」の価値

生成AIは創作ツールか？　創作者か？

素人にもイラスト制作の依頼がくる時代に？

「『生成ＡＩで日本の未来を切り拓く』というイメージのイラストがほしいです」

２０２３年7月のある日、突然電話がかかってきました。

東京大学にて、内閣総理大臣をはじめとする政府高官、財界の大物、東京大学総長などの学界関係者が出席する生成ＡＩに関するシンポジウムの開催が予定されていました。そのシンポジウムに関する特設サイトを作成するうえで、サイトを飾るイラストがほしいという話です。

普通であれば、どう考えても私ではなくプロのイラストレーターに頼むべき仕事に思われますが、生成ＡＩというテーマに絡めて、生成ＡＩを用いたイラストが欲しいということでした。

私は研究上の目的と個人的な趣味から、日常的に生成ＡＩツールを使って画像を生成しています。結果的に、私は翌日の夜までに生成ＡＩを使ってイラストの候補をいくつか作成し、無事納品することができました。

このエピソードは生成ＡＩ登場以降の文化芸術や創作活動について、特筆すべき要素をいくつか含んでいます。

①特別な創作能力がない人間にも、質の高いコンテンツを生み出せるようになった
②「ＡＩによって作成されている」ことが意味を持つ、あるいはＡＩによって初めて成立する文化コンテンツが生まれる

ところで、先ほどのエピソードにはちょっとした続きがあります。

シンポジウムのための画像生成でアレコレ試したこともあり、自信がついて調子に乗った私は、生成イラストを公開したらどうなるか気になり、Twitter（現X）にいろいろと投稿してみました。

その結果はさっぱりで、閲覧数はまったく伸びず、「いいね」もつかない。そもそも生成ＡＩを用いて、自分の意図に沿った内容かつ公開に堪えうる質のイラストをつくるのは意外と難しく、投稿の頻度も思ったほど上がりません。生成ＡＩの登場後は、

誰でも一定以上のクオリティの作品を生成・投稿できるようになっている状況もあり、埋もれてしまって見向きもされませんでした。

一方で、猛烈な勢いでＡＩ生成イラストを公開し、多くの評価をもらっている人がいます。Twitterのフォロワー数ではそこまで差がなさそうなのに、何が違うのかをよく調べると、そうした方は元々手描きのイラストレーターのようでした。

ＡＩ生成イラストと言っても、ＡＩを利用した部分は一部で、他の部分はご自身の手で加筆して描いていたようです。私が投稿するＡＩ生成イラストと比較すると、クオリティも投稿頻度も差は明らかで、勝負にならないレベルでした。

ただ、実は私の投稿のなかで1つだけ閲覧数が伸びて評価された作品がありました。Twitterで生成ＡＩイラストを公開する際に、通常は「#AIart」や「#AIイラスト」などのタグをつける習慣（というよりは暗黙のルール）があり、私も普段はこれを欠かさず付けていました。

ところが、1度このタグを付け忘れて投稿してしまったことがあり、それこそが評価された作品でした。この作品のクオリティ自体は他の評価されなかった作品と大差ありません。つまり、タグ付けしてＡＩ生成のイラストだと伝えた時点で、評価されにくくなっていたのだと推測されます。

以上のエピソードも考慮し、生成ＡＩ登場以降の文化芸術や創作活動の特徴として、さらに以下の要素を付け加えます。

③創作能力を持っている者は、その能力と生成ＡＩを組み合わせることで、一般の生成ＡＩユーザーより質が高いコンテンツを、今まで以上のスピードで創作できる

④生成ＡＩの登場により、人間が創作物を評価する視点・価値観が変わりつつあり、表面上のクオリティだけではなく、「ＡＩによって生成されたかどうか」が、作品の評価に影響を与える可能性がある

本章では、これらの４つを念頭に、生成ＡＩが文化芸術・創作に与える影響について考察します。

「AIは創造性を持つか？」をめぐる長い議論

2022年以降に急速に発展した生成AIにより、「AIと創作」をテーマに、特に「AIは創造性を持つか？」という議論が活発になりました。今やAIを使って創作を行うことは珍しくなくなり、AIが自ら創造性を持って創作を行っているようにも見えます。しかも、そうして生み出されたものが、人間の創作に匹敵するような事態となっており、これは歴史上初めてのことです。

……というのは嘘です。実はこれらのテーマは、2022年以前から研究者の間では盛んに議論されてきました。AIに限らず、コンピュータと創造性というテーマは、「Computational Creativity（計算的創造性）」という名で論文が複数出ている研究分野でもあります。

機械学習・ディープラーニングをベースにしたAIに限定しても、実は2018年には画像の分野、2020年には文章の分野で、生成されるコンテンツの質は高い水準に達していました。この時点では人間のトッププロが生み出す作品の域にまでは達していなかったかもしれませんが、機械学習の研究者や、機械学習の知見を取り入れようとした先鋭的なアーティストたちにより、さまざまな試み・考察が行われていました。

たとえば、2016年には日本で、AIが執筆した『コンピュータが小説を書く日』というタイトルの小説が、日経新聞が主催する星新一賞の一次選考を通過したことで話題になりました。このAIによる小説執筆支援や自動化の試みは、2012年から公立はこだて未来大学の松原仁教授を中心とした「きまぐれ人工知能プロジェクト作家ですのよ」で行われていたものです。

2018年には、フランスのアーティスト集団「The Obvious」が、GANという画像生成AIを使った作品を、「AIが描いた画期的な作品」として、有名なオークションに出品し、それが5000万円近くで落札されるという出来事も起きています。特にこれは、ディープラーニングベースのAIで生み出された文化芸術コンテンツについて、さらにはAIの創造性について、どう考えるべきかが本格的に意識され始めるきっかけとなりました。

「組み合わせ」「探索」「革新」という3つの創造性

「創造性」というものをどうとらえるかに関しては、特にAIを絡めて論じる場合、さまざまな意見があります。「AIが創造性を持つわけがない」という意見もありますし、「AIも創造性を持つ」という意見もあります。研究者でも意見が分かれるところです。

とはいえ、あっちこっち語っていてはキリがありませんので、創造性についての比較的有名な定義・分類を挙げます。研究やビジネスの分野で頻繁に参照されるものとして、先ほど挙げた「Computational Creativity」という研究分野で、マーガレット・ボーデンという研究者が提唱したものがあります。ボーデンは創造性を以下の3つに分類しています。

①組み合わせ的創造性（Combinational Creativity）
②探索的創造性（Exploratory Creativity）

③革新的創造性（Transformational Creativity）

①の「組み合わせ的創造性」は、既存のアイディアや知識の組み合わせ（あるいは引き算的な考え）によって、新しいものを生み出す創造性のことです。②の「探索的創造性」は、既存のアイディアや知識をなんらかのルールや手続きに従って探索することで、新しいものを生み出す創造性です。③の「革新的創造性」は、既存のアイディアや知識の枠を飛び越えて、新たなルールを定義するような形で完全に新しいものを生み出す創造性を指しています。

さて、創造性に関するこの3つの定義を考えた場合、生成ＡＩは明らかに「組み合わせ的創造性」「探索的創造性」の2つの「創造性」は持っているように思えます。

第1章でお見せした「隕石をバットで打ち返す猫」の画像のように、生成ＡＩは本来は関連する点がなさそうな概念を組み合わせたものを生み出せます。「隕石」「バット」「猫」という概念は既存の知識ですが、これらを組み合わせたものは（おそらく）過去になかったという点で、新しいものとなっています。まさに「組み合わせ的創造性」によって創造されたものです。

これらのＡＩの背後に言語モデルや拡散モデルという、生成のための一定のルールがあることを考えると、「探索的創造性」にも該当するでしょう。しかも、これは単なる学習データの切り貼りではありません。膨大な学習データをもとに一般化された各概念を新しく生成して、それを違和感なく組み合わせています。
③の「革新的創造性」に関しては、現在の生成ＡＩに欠けているように見えます。ただ、実はこの種の創造性は人間の場合でも発揮されることはかなり稀です。
たとえば、現在の生成ＡＩのベース技術となっているディープラーニングという手法は、ＡＩの分野においてかなり革新的なアイディアと言えますが、それが「革新的創造性」によって生み出されたものなのかと問われると怪しいところです。ディープラーニングの基礎となるアイディアは、人間の脳を計算機上で再現するというものであり、計算機も人間の脳に関する知識もすでに存在していたものです。このレベルですら、「革新的創造性」があるとは言い切れません。

世の中で人間の創造性が発揮されたとされる有名な例でも、この種の創造性に起因するものはかなり少数でしょう。私が今まさに執筆しているこの文章も、ある種の創造性に基づく創作ですが、これが「革新的創造性」に基づくものだとは言えませんし、私の普段の研究活動、プログラミングコードを用いた開発、日常的な発想も、ほとんどは「組み合わせ的創造性」や「探索的創造性」の範疇にとどまるものです。

人間が行う無意識のインプットは、AIにとっての「学習」？

ところで、この「組み合わせ的創造性」や「探索的創造性」を人間が発揮するにはどうしたらいいでしょうか。

意識して行っている場合もありますが、多くの人は赤ちゃんのときから無意識のうちに行っています。それは外界から受け取る情報（データ）をもとに、脳の中で処理・記憶、あるいは予測し、以降の自分の思考に影響を与えるという行為です。

それらのデータは、生きているなかで見た光景の視覚情報かもしれませんし、他の人が制作した絵や文章、映像もあるでしょう。生まれてきてから現在までに脳内にインプットされた外界のデータは、とてつもない量です。

そして、優秀なクリエイターとされる人たちは、意識的にこれら外界の情報を得る機会を増やしています。文章によって創作する人は他の人より多くの文章を読んでいるでしょうし、絵を描く人は他の人より多くの絵を見ているでしょう。

これは、まさに生成ＡＩが行っている「学習」に相当する行為です。生成ＡＩは、何億、何兆という膨大なデータを学習に使用します。これは写真や絵、人が書いた文章ですが、人間が普段脳内にインプットしているものと本質的に同じです。

もちろん違った視点からの考え方もあるでしょうが、ここまでに参考にしてきた創造性の考え方に基づくと、人間も生成ＡＩも、発揮している創造性の種類、そして創造性を発揮する前提条件というものは、意外と似ていると思えてくるのではないでしょうか。

人間ならではの「ストーリー」抜きに「創作」はできない？

さて、次に「創作」という言葉について触れておきます。実はここまで「創作」という単語を特別な行為にのみ用いてきました。それは、人間の感情や思想といったものが反映された創造的行為です。

さきほど、ＡＩがある種の創造性を持っているかもしれず、しかもそれは人間と似ているものかもしれないという話をしました。では、ＡＩがその創造性によってなんらかのコンテンツを生み出すことは「創作」なのかというと、それはまた違うと思っています。

たとえば、「猫」と「湖」という題材があったとしましょう。この概念を組み合わせて物語を考える場合、人によってその展開は明るいものにも、悲しいものにもなります。何がこの違いを出しているのでしょうか。

ＡＩの場合でも、同じ題材の組み合わせであっても生成される結果が異なることはありえますが、それは単に計算機上の数値的なランダム性に基づくものです。一方で人間の場合は、各個人で異なった人生を歩んでいます。まったく同じ人生を送る人間が存在することはありえません。そして、個人の感情や思想といったものは、各個人が送ってきた人生を反映します。

創造性を発揮して何かを生み出すとき、単に物事を組み合わせるというだけでなく、個人的な感情や思想、個人の持つ「ストーリー」が映し出されます。私はこの、個人の感情や思想、ストーリーが反映された創造的行為こそが「創作」と呼ぶに値すると考えています。

この考え方に基づけば、生成ＡＩにプロンプトを打ち込んで文章や画像が生成されたとき、それを指して「ＡＩが創作した」とは言えません。また、「人間がＡＩを使って創作した」という言い方にしても、単純にプロンプトを打ち込む行為を指すとすればかなり怪しいものです。

現在の生成ＡＩの性質を考えると、そのプロンプトによって生成されたものがいきなりＡＩ使用者の思想や感情を正確に反映したものになるとは考えにくく、単に生成されたものをそのまま採用するだけなら、創作とは呼びがたいでしょう。

逆に、生成ＡＩを使っても、生成結果を見てプロンプトの改善などの試行錯誤をしたり、自分が制作した文章や絵をベースにして生成ＡＩで補完したり、生成ＡＩで生成されたものを自身の手で修正したりするなら、個人の思想や感情を正確に表現するための努力が行われているという点で、創作に当たると考えられます。

これはあくまで創作に対する私の基本的な考え方です。要するに筆者は、ＡＩがある種の創造性を持つことと、ＡＩが創作できることはイコールではなく、ＡＩを使った単なる生成と創作について分けて考えているということです。

「創作ツール」としての生成ＡＩの画期性

ここからは、生成ＡＩを「創作者」ではなく、あくまでも「創作のためのツール」と見なして議論を進めます。

歴史上、登場したときに大きな議論を巻き起こした創作ツールは生成ＡＩだけではありません。19世紀の写真、20世紀後半に登場したシンセサイザーやデジタルペイントツール、ちょっと変わったところだと21世紀に登場したボーカロイドのような歌唱音声合成ソフトウェアなどがあります。

いずれも登場時には既存のクリエイターからの大きな反発を招きましたが、現在ではクリエイターの創作に欠かせないものとなっていますし、新たな創作表現を生み出すきっかけにもなりました。

ただし、生成ＡＩはこれら歴史上のツールとは異なる複合的な要素があります。

◎大量の人間のデータを使わないと成り立たないこと
◎即座に完成品を出せてしまうこと
◎言語入力による指示のみで多様なコンテンツ作成が可能であること

まず、「大量の人間のデータを使わないと成り立たない」という点は、既存のツールとは明らかに異なる点です。既存のクリエイターからの反発を招いている要因も、究極的にはここに還元されるのではないかと思います。自分が生み出したデータを使って学習されたうえに、その学習された能力で同じ市場で競合となる事態は、クリエイターにとって受け入れがたいものです。著作権などの法律的な論争もこの性質に起因します。

一方で、膨大な人間のデータを使って学習しているということは、裏を返すと人類の先人たちの知恵を、場所や時間を問わず、即座に、手軽に利用できるという大きな利点を有しているとも言えます。創作活動において、これは既存のツールでは得がたい特長です。

次に、「即座に完成品を出せてしまう」という点については、写真と似ている部分があります。カメラによる写真は、現在では芸術作品の一部と見なされていますが、シャッターを押せばそれ以上の操作は基本的に（加工などを除いて）必要ないという点で、プロンプトを打ち込んで完成品が生成される生成ＡＩと同じ性質を持っていそうです。

最後に、「言語のみで多様なコンテンツ作成が可能である」という点についてです。プロンプトを試行錯誤するにせよ、いくつかの生成ＡＩを組み合わせるにせよ、最低限人間の言語を扱えれば、生成AIによって高品質な作品を生み出すことが可能です。たとえば、幼稚園児とイラストレーターに同じ生成AIを使って「猫」の絵を描かせた場合、幼稚園児によるものも第三者視点で「猫」と判断される絵になりえます。幼稚園児が扱える語彙《ごい》である「ねこ」「かわいい」「みみ」「ひげ」などの言語入力だけで、それなりに高品質な猫の絵ができるでしょう。評価者視点では、幼稚園児の側に高評価を下す可能性もありえます。

これがもし、従来の絵描きに必要なツールを用いて描くのであれば、両者のクオリティの差は歴然でしょうし、そもそも幼稚園児が猫と判断される絵を完成させられるかどうかすら怪しいでしょう。既存のツールにも絵を描くのに便利な機能がいろいろと備わっていますが、どれも使いこなすにはそれなりに高度なスキルが必要だからです。

これらの性質をすべて兼ね備えた創作ツールは、明らかに人類史上には存在しなかったものです。創作のツールとしての生成AIは、創作への組み込み方も、この先の共存の可能性も未知数で、その扱い方を歴史から学べるかどうかすら危ういお化けである、そう表現できるかもしれません。

一方で、冷静に考えると過去のツールにも、登場した時点ではそのような扱いだったものが多くあります。

写真は3つのなかで、「即座に完成品を出せてしまう」という性質のみを持ったツールでしたが、これも写真の前には存在しなかったものでしょう。当時の人がそのツールの可能性についてどれだけ予見できていたかはわかりませんが、結果として写真の登場が美術の世界に新しい風をもたらしました。写実性によらない印象派のような新しい表現を登場させ、絵と写真を組み合わせるコラージュ手法が誕生しました。そのなかで写真自体を新しい芸術作品として見なすような流れも生まれています。

創作のツールとしての生成ＡＩについても同じように、長期的には（もちろん正しい使い方を模索するという過程を経て）、創作に新しい風を呼び、文化の発展を促進し、今までになかった価値のある文化芸術表現が確立されるかもしれません。

新技術は新たな文化の発展をうながす

歴史上、ある技術の出現によってクリエイターとなるハードルが下がり、結果として文化の発展が促進された例は数多くあります。

たとえば、電子的に音を合成できるシンセサイザーです。従来は楽曲を作成するために、多くの楽器や演奏家、複雑な音響設備などが必要でした。しかし、シンセサイザーの普及により、それらをそろえる余裕がなくても音楽的な才能があれば、クリエイターとして楽曲を制作する機会に恵まれることになりました。加えて、シンセサイザーによる新しい音の表現から、テクノなど新しい音楽ジャンルも登場しました。

他に有名なところでは、ヤマハが開発したボーカロイドという歌唱音声合成技術をベースにした製品があります。クリプトン・フューチャー・メディア社がVOCALOID2の技術をベースにして生み出した初音ミクというソフトウェア（あるいはキャラクター）は一大ブームを巻き起こし、「ボカロP」や「歌い手」と呼ばれるような多くのクリエイターが生まれ、ボカロ文化という独自の文化の発展につながりました。

生成ＡＩもこれらのように、新しいクリエイターを生み出し、文化の発展を促進する可能性があります。

まず1つが、画像、音楽、文章などの文化芸術コンテンツそのものを創作する過程に生成ＡＩを組み込み、質の高いアウトプットを目指す方向です。

たとえばデジタルペイントツールには、イラストの一部分をＡＩで自動彩色する機能がありますが、これを使ったイラストが創作と見なされない、ということはないでしょう。

すでに生成ＡＩを使ったことがある人はご存知かもしれませんが、ＡＩを使って理想的な結果を出すのはかなり難しいものです。同じプロンプトを何度も入力したり、プロンプトを変えて試行錯誤したりすることがほとんどです。これはそもそも画像や音楽という高情報量の生成対象に対し、プロンプトという「言葉」で制御できる範囲が非常に限定的であるためです。

「おいしそうにハンバーガーを食べる女性」というイラストを生成することを考えま

しょう。プロンプトとしてそのまま「おいしそうにハンバーガーを食べる女性」と打ち込むことで、最近の画像生成ＡＩであれば、誰が見ても「おいしそうに」「ハンバーガーを」「食べる」「女性」という４つの特徴を持った画像が生成されることでしょう。

しかし、このプロンプトでは、これら４つの大きな特徴以外は特に指定していません。女性の年齢、髪や肌の色、着ている服、どこで食べているのか、ハンバーガーの大きさや具材、食べているときの腕の角度、指の爪の長さ、ネイルはしているか、周りに人はいるか……など、画像に含まれる情報は書ききれないほど存在します。

これらの無数の特徴はプロンプトで指定していないため、どんなものが出力されるかはわかりません。プレゼン資料に補足的に利用する程度であれば、大雑把なイメージを想起させられれば十分なので、腕の角度などの細かい部分を調整する必要はないかもしれません。

ところが、創作目的の場合には事情が異なります。創作においてクリエイターは、「腕の角度」「場所」といった情報も含め、細部にわたって注意を払うはずです。こうした要素がクリエイター本人の意思で制御できないことは致命的です。

ビジュアル制作も音楽制作も生成ＡＩで自由自在に

　ここでは、生成される作品の本質的な表現を、ある程度人間が意図を持って制御でき、かつクリエイターとしての技量が高い者ではなくともある程度の質が保証されたアウトプットが期待できる、そんな生成ＡＩの使い方を挙げます。

　まず、画像生成ＡＩに関連して、「ControlNet」という技術があります。これは生成ＡＩで出力される画像内の、人間のポーズや空間配置などの細かい特徴を制御できる技術です。前述のように、通常はこれらの細かい要素をプロンプトで制御することは困難ですが、ControlNetを使うことで細かいレベルでの制御が可能になります。

　次ページの図４-１は、ControlNetの機能である「Openpose」という人間のポーズ検出ソフトを使って、ある画像のポーズを抽出（棒人間化）し、その抽出されたポーズを自分が出力したい画像に含まれる人間に適用しています。これにより、ポーズ

図4-1 「ControlNet」を用いた画像生成の図

ControlNetの「OpenPose」機能を使用して
姿勢データから画像を生成

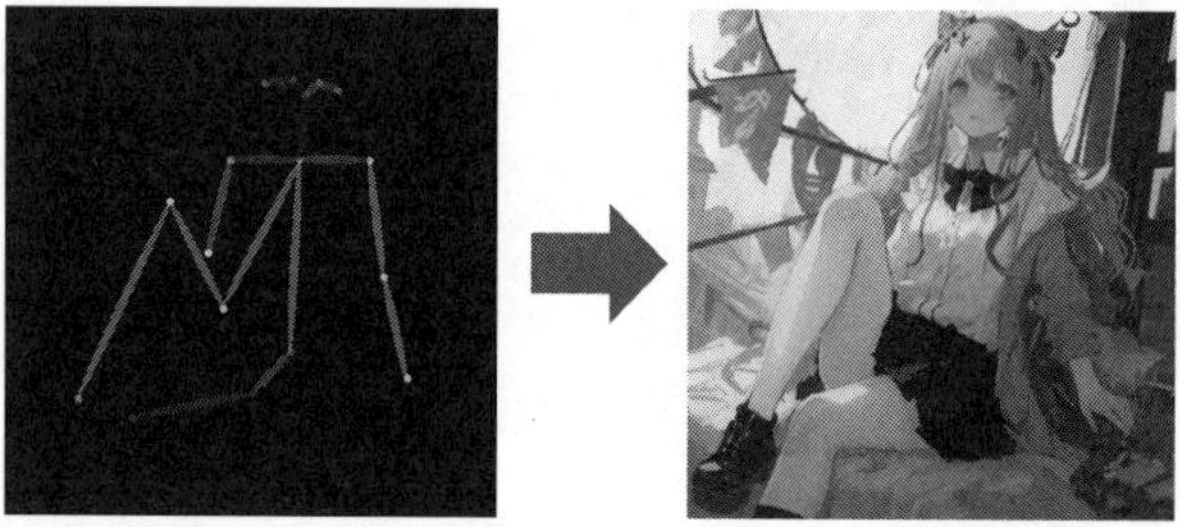

出典：「Mikubill」氏作成のフリー画像より引用

は角度レベルで希望する形に固定し、その他の要素だけを変更することが可能です。

　音楽分野では、「Synthesizer V」という音声生成ＡＩのソフトウェアがあります。Synthesizer Vは、先ほども触れたボーカロイドと似たような、キャラクターとその歌声を前面に出した音楽制作ツールです。

　しかし、ボーカロイドは通常、歌わせたいメロディーを入力するだけではイメージ通りの歌い方を実現することはできません。ボカロPなどと呼ばれるボーカロイドのクリエイターは、職人芸的とも言える技量で調声《ちょうしょう》を行い、理想的な歌唱を実現しています。この調声を初心者が行うのは困難であり、音楽理論の熟知や積み重ねた経験則など、超えるべき大きなハードルがあります。

その点、Synthesizer VはＡＩ技術により、これらの調声をある程度自動化してくれます。メロディーの打ち込み、呼吸の位置や曲の伴奏を考えるといった作業は人間側に残っていますが、これにより初心者でもある程度の質が保証された歌唱を実現することが可能となっています。

次に、複数の表現媒体を組み合わせるような創作において、その一部を生成ＡＩによって作成するという使い方が考えられます。文章と挿絵を組み合わせた小説、画像やテキスト、音楽を組み合わせたゲームや動画などです。

このような創作は本来、個人が複数の表現手段に対して高度な技量を持っているか、高度な技量を持つそれぞれの専門人材を集める必要があるなど、ハードルが高いものです。ところが生成ＡＩを使うことにより、自分の得意領域にフォーカスしたまま、それ以外の部分については生成ＡＩによって作成したものを補助的に利用することでハードルを下げ、最終的なアウトプットの影響力や評価を高めることが可能です。

たとえば、画像生成ＡＩでパーツを出力し、それを創作作品の素材として使うという使い方が考えられます。出力された生成物をそのまま使うのではなく、キャラクターや世界観の設定のアイディア出しという用途もあるでしょう。これは初心者だけでなく、プロのクリエイターにとっても有用な使い方です。

創作の世界では、とりわけイラストや画像の持つ視覚的な吸引力が重視されます。音楽作品におけるミュージックビデオや文学作品の挿絵などが代表的な例でしょう。これは画像生成ＡＩの使い方としてすでに具体的な応用が多く見られる使い方であり、本書の執筆時点で小説の挿絵、動画のサムネイルといった部分で生成画像を使った創作作品がすでに多く登場し、高い評価を得ています。

また、効果音やＢＧＭを生成するＡＩを使い、それを動画やゲーム作品に利用したものも一部登場しています。最近では、数枚の画像やプロンプトから動画を生成できるＡＩも発展しており、従来は個人では難しかった映像系コンテンツを、初心者が画像生成から一貫して行うことも現実的になっています。

その他、ＡＩを使って出力したキャラクターを登場人物とする、あるいはＡＩで出

図4-2 AI漫画『サイバーパンク桃太郎』

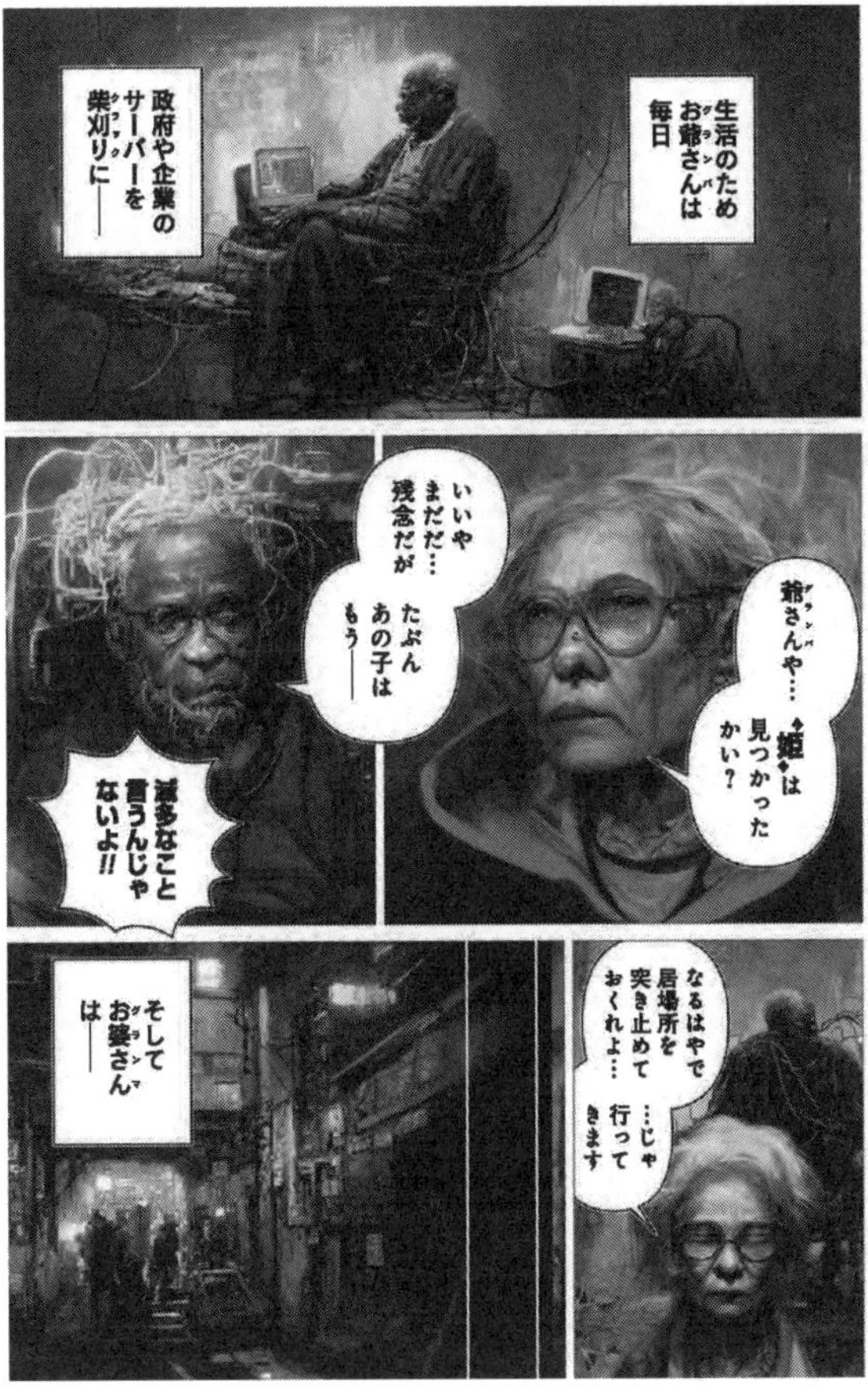

出典：©Rootport/新潮社

力した背景を部分的に利用する、いわゆる「ＡＩ漫画」といったものが出てくるなど、生成ＡＩのこのような利用形態は今後広がっていくと考えられます（図４-２）。

「AIキャラクター」や「AI Tuber」も登場

ＡＩを使った新しい形式の文化芸術コンテンツも出てきました。これは生成ＡＩが普及することによって初めて登場した創作の形態であり、生成ＡＩ抜きでは実現しえないものです。このようなコンテンツはまだ限定的ですが、すでに登場している例をいくつか挙げます。

最初に紹介するのは、生成ＡＩを使ってなんらかの人物の再現を行う、あるいはまったく新しい人物・キャラクターをつくる「ＡＩキャラクター」などと呼ばれるコンテンツです。実在の人物にＡＩという文字をつけた「ＡＩ○○」といった呼ばれ方をされることも多いようで、「ＡＩひろゆき」や「ＡＩ知事」、歴史上の人物と擬似的なチャットができる「Character.AI」といったサービスが登場しています。

ＡＩキャラクターは主に、プロンプトエンジニアリングや追加学習により、その人物・キャラクターの人格、しゃべり方、知識といったものを再現した言語生成ＡＩを中心に実現されます。これにより、実在する著名人や知識人、あるいは自分や他者が生み出したまったく新しいキャラクターと、地位や物理的な制約を越えて会話するという新しい体験が可能となります。

生成ＡＩを使って、登場人物の言動を生成し、新しいゲーム体験を目指す動きも見られます。通常、ゲームの登場人物のセリフや行動は、開発時にあらかじめプログラミングされたものに固定されます。コストの関係から、登場人物が現実世界の人間と同等レベルの多様な言動をプログラムされることはまずありません。

ストーリーをクリアすればそれで終わりとなるゲームでは大した問題になりませんが、最近はソーシャルゲームに代表されるように、１つのゲームが継続的に遊ばれる傾向があります。そのなかでもゲーム内の登場人物に対してある種の愛着を持ち、その言動を継続的に楽しむようなタイプのゲームの場合は、登場人物に多様な言動をさせ、飽きさせないようにできるかどうかが成功の鍵となります。

生成されるコンテンツの方向性をある程度保ちながら、実質的に無限のコンテンツを提供できるという生成ＡＩの性質は、このような場で最も力を発揮すると言っていいでしょう。

また、すでにYouTube上で動画投稿や実況活動を行うYouTuberやVTuberはお馴染みですが、これを生成ＡＩによって行うAI Tuber（アイチューバー、あるいはエーアイチューバー）というコンテンツがあります。AI Tuberは、ChatGPTのような言語生成ＡＩにより、人間のように実況を行ったり、コメントに対して返信したりといった特徴を備えており、その声についても生成ＡＩによる合成音声を利用することが多いようです。

AI Tuberの外見は、画像生成ＡＩで出力したキャラクターを使うことがほとんどですが、そのキャラクターを出力するためのプロンプトや追加学習モデルを配布することで、ファンアートなどの二次創作コンテンツの促進を狙う例も見られます。

プロのクリエイターにも、多大な恩恵をもたらす

生成ＡＩの登場後、すでに高い技量を持っていたクリエイターが、自身の創作活動のなかに生成ＡＩを取り入れるという例が出てきています。「将来的にはこのような利用をしたい／このような利用になるだろう」と表明されている方も存在します。

これらのクリエイターは、すでに質も評価も高い作品を創作できている人たちです。したがって、生成ＡＩの生成物から使用できる部分を切り取る、あるいは編集した形で使用するという利用法が大半です。創作の初心者のように、自身の表現の技量を超えた（あるいは方向性が異なる）アウトプットを得ようとする使い方もありますが、どちらかというと作業の効率化という側面が強いように思われます。

ワープロによる文章執筆のデジタル化、あるいはペイントツールの自動彩色、背景切り抜き機能と同じように、既存の創作ツールの拡張機能としてとらえていると言えるでしょう。

なお筆者自身は、クリエイターの創作ツールとしての生成ＡＩ、特に画像生成ＡＩに関してはまだ未成熟であり、実際に機能するにはさらにもう一歩、基盤技術の発展とＡＩの出力をツールとして切り出すシステムの整備が必要であると考えている立場です。

現在の画像生成ＡＩは、ほとんど完成された状態で出力されることによって、むしろ編集が困難になることや、出力の遅延が生じることなどがボトルネックとなっています。今後はこれらの問題を解決した生成ＡＩのツールが登場するものと思われます。

また、クリエイターの視点で、創作の作業工程におけるＡＩによる自動化をどこまで是とするかについては、現在進行形で議論が続いています。長期的には、クリエイターが議論や試行錯誤を繰り返し、それが開発者にフィードバックされ、現在の生成ＡＩを発展あるいは機能の一部を切り出す形でクリエイターが納得するツールが生み出され、創作のなかに溶け込んでいくものと考えられます。

話を戻すと現時点では、創作の高速化・負担軽減とアイディア出しにおいて、生成

ＡＩを利用する例が多く見られます。

まず、単純にクリエイターの作業を高速化したり、作業負担を軽減したりするために生成ＡＩを利用することについては、クリエイターからの期待が大きい部分です。

イラストにおいて自身の画風を学習した画像生成ＡＩによって、一部パーツの塗りを行う、背景の元絵を作成するといった利用が検討されており、実験的に取り入れているクリエイターも存在します。これは、既存のデジタルペイントツールの自動彩色機能を純粋に発展させたものと言えます。

図4-3　「いらすとや」風に生成した「本の宣伝を行う猫」の画像

出典：「AIいらすとや」にて筆者生成

通常、生成ＡＩによって特定の個人の画風を細かく再現することは困難でしたが、「DreamBooth」「LoRA」と呼ばれる生成ＡＩの追加学習手法を用いることで、個人の少量の過去データから、自身の画風を忠実に再現するＡＩをつくれるようになっています（図４-３）。

これらの技術は、クリエイターではない個人が特定のクリエイターの画風を集中学習し、いわゆるフェイク作品や競合作品をつくるような悪用例が目立ちますが、クリエイター自身が自身の画風を再現したＡＩを作成し、それを作業の効率化に用いることは、有効な活用法の１つです。また、漫画家からは、写真から線画を生成するＡＩの期待が高まっており、実際に高い精度で線画を生成できるツールも登場しています。

アイディア出しツールとしての利用も進む

個人の創作に限らず、映画やアニメーション制作、ゲーム開発など、複数人が関わる大規模な創作においても、労働力不足によって個人の負担が増えている現状に対して、生成ＡＩの活用は有力な選択肢とされています。実は、これらの分野に関しては、生成ＡＩブームが始まる２０２２年以前から導入の検討が進んでいました。

Netflixでは、アニメ製作のＤＸ化の一環として、実際に生成ＡＩを使ったアニメを製作しています。この例では、アニメーターが書いたプロンプトを独自のデータで開発した生成ＡＩに入力し、生成された絵を素材として加筆修正するという利用形態になっており、40％から50％程度の効率化ができたという評価がされています。

また、言語生成ＡＩを用いて映画やゲームの脚本、キャラクターの設定をつくる試みも行われています。こちらはあくまで作品の土台となる脚本や設定であるため、作品としての完成を目指す画像生成とは違って出力が現実離れしていようと問題がなく、明らかにおかしい部分は容易にクリエイター側で修正することができます。そのため、すでに多くの場面で導入が進んでいるようです。

こうした創作の一部分のアイディアを生成ＡＩに複数個出力させ、良い候補をそのまま採用する、あるいは素材として用いるという活用は、検討の段階を超えて、すでに多くのクリエイターが実際に行っています。

第3章で労働の効率化に生成ＡＩを用いる形態の1つとして、生成ＡＩによる提案システムに触れましたが、それに近い使い方と言えます。生成ＡＩのこの使い方に関する特徴としては以下のものが挙げられます。

◎最終的に生成物を採用するかどうかは人間が決定する
◎生成物の編集が容易である
◎高速で複数の候補を生成できる
◎生成されるのは最終成果物の一部分であり、本質的な部分は人間がつくり込む

筆者個人の意見となりますが、このような提案システムを日々の研究や開発に使用し、その恩恵を受けている身としても、最終的に生成AIを創作ツールに組み込む場合は、この利用形態が主になっていくものと考えます。

まだ現時点では、アイディアの生成や提案専用のツールは少ないようですが、実際にアイディア出しに特化した機能を実装しているものとしては、すでに紹介したSynthesizer VのAIリテイク機能があります。これは、楽曲の一部分について、「テイクを生成する」というボタンを押すことで、候補となるピッチ・声質をAIが高速で生成し、利用者は複数回テイクのなかから、自分が気に入ったものを選ぶという利用形態となっています（採用したものをさらに編集することも可能です）。

建築や商品のデザインなど、最終的に実世界で物理的な作品になる分野でも、アイディア出しに画像生成ＡＩを利用する例も増えています。二次元の画像を物理的な実体に落とし込む工程で、クリエイターの裁量の幅が広いこと、生成された画像単体では意味をなさず、市場の衝突が起きにくいこと、設計やデザインの段階で用意するイメージは綺麗で質の高いものがいいが大量に用意できない、という従来のトレードオフを解消できることから、生成ＡＩの採用に積極的である傾向が見られます。

ＡＩがつくった作品に価値を感じられるか？

「ＡＩを使っているとわかった作品には、あまり価値を感じない」
「クリエイターがＡＩを使っているのを見ると、複雑な気分になる」
「良いイラストを見つけたときに、それがＡＩによるものなのか、人間によるものなのか、確認するようになった」
「ＡＩを使った作品は、人間のつくった創作物と混ざらないように隔離する必要がある」

これらは生成ＡＩブームの開始から現在にいたるまで、ＳＮＳなどで実際に見られている反応です。

実際には、創作のなかに「なんらかの生成を行うＡＩ（機械）で生み出された要素」が混じっているという事態は、そこまで特別なものではありません。シンセサイザーやボーカロイドなどは、そもそものコンセプトとして機械的な音声合成を行うものですし、数年前から存在するイラストの自動彩色も、現在の生成ＡＩと呼ばれているものと本質的には同じ（大量の著作物からニューラルネットワークを学習し、出力が生成的）です。

上記の反応は、生成ＡＩによる生成物が、人間が生み出す作品と表面上は見分けがつかないレベルに達して初めて表面化したものと言えるでしょう。

これは人類史上で例がなかった事態であり、このような反応のもとになる人間の価値観が長期的にどのようになっていくかは、筆者も（そして人類の誰にも）正確な予測は困難です。

一方、ＡＩが生み出したコンテンツに対する現在のわれわれの価値観に関しては、生成ＡＩブーム以前と以降に出た2種類の興味深い研究があります。これらの研究で得られた結果は、長期的なわれわれの価値観を考えるうえでヒントになるかもしれません。

まず1つ目の研究は、「人間のアーティストはＡＩを恐れるべきか？　クリエイティブＡＩの認識に関するレポート」と題された論文で、2019年に行われたものです。この論文中では実験の参加者に、「人間が制作した絵画とＡＩが制作した絵画を買うとしたら、どちらを買うか」「人間が制作した音楽とＡＩが制作した音楽を買うとしたら、どちらを買うか」という質問に対して回答させています。その結果、前者は90・1％、後者は93・1％の参加者が「人間によるものを買いたい」と答えています。

また、ＡＩに任せたい仕事、逆に任せたくない仕事に関するアンケートでは、創造的な仕事や感情支援、高齢者ケアなど、いずれも感情や共感をともなう仕事が「任せたくない」と回答される傾向にありました（図4-4、図4-5）。

図4-4　仕事ごとの「AIに任せたい」と回答された割合

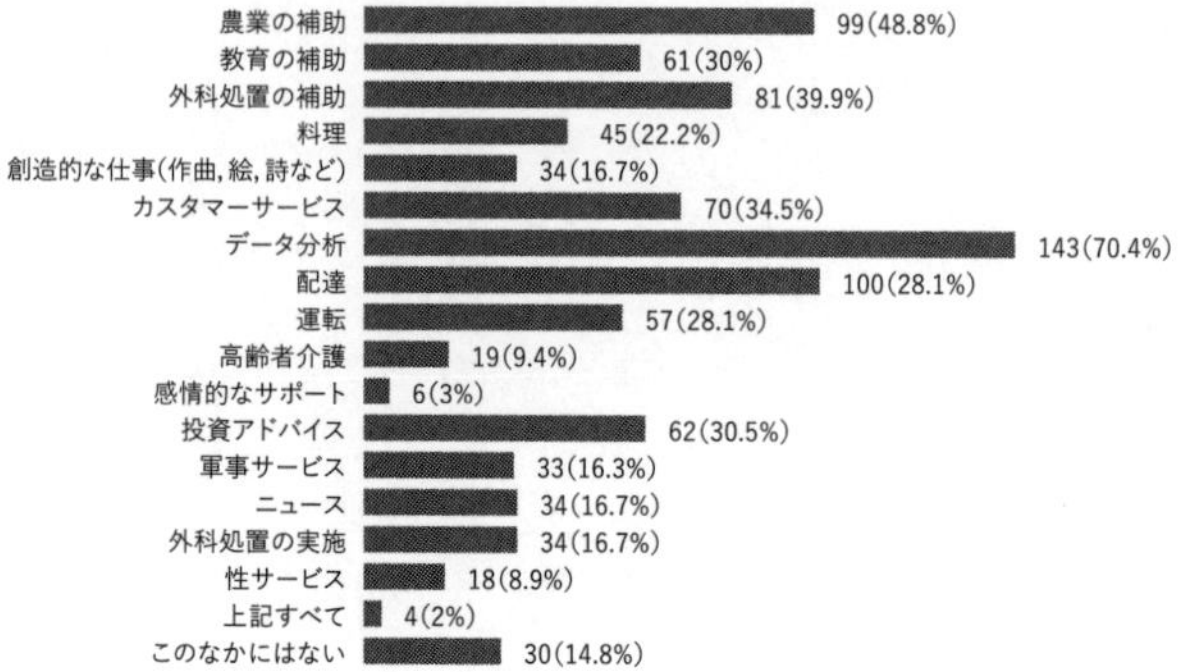

出典：“Should Human Artists Fear AI?: A Report on the Perception of Creative AI”をもとに作成

図4-5　仕事ごとの「AIに任せることを懸念する」と回答された割合

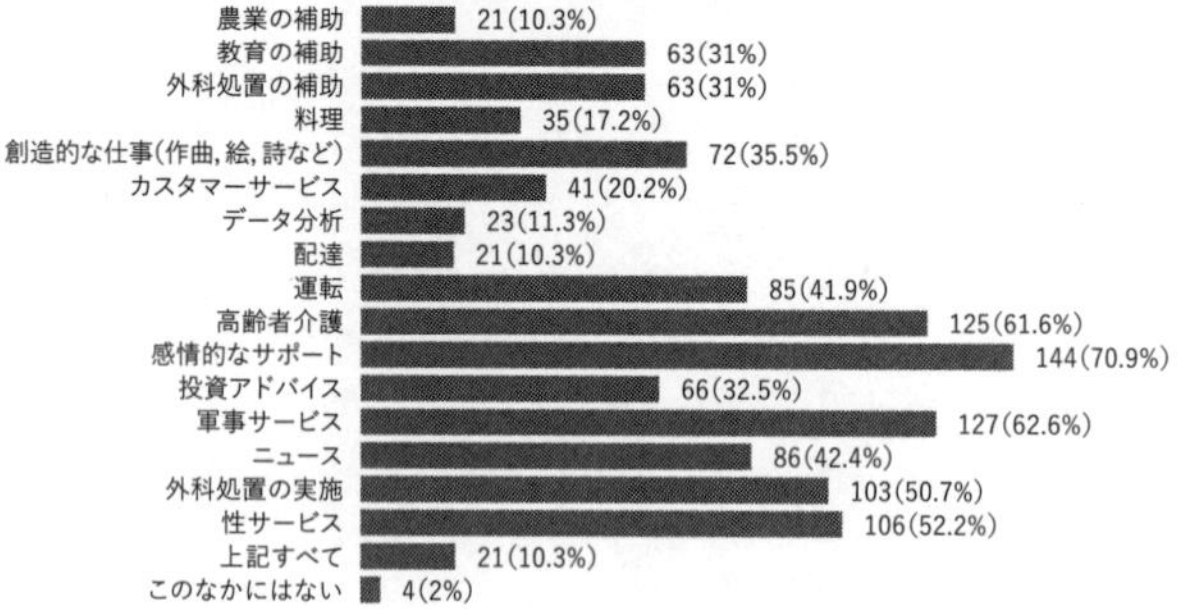

出典：“Should Human Artists Fear AI?: A Report on the Perception of Creative AI”をもとに作成

記述式の回答では、ＡＩと創作に関して「ＡＩによってつくられた芸術は、決して人間には受け入れられることはない」など、ＡＩによる創作に関して相当に否定的なものが確認されています。

この研究が行われていた時点では、現在のようにＡＩと創作に関する激しい議論は世間一般では起きていませんでした。また、将来的に現在のような高性能なＡＩが登場するかどうかも不透明な状況でした。

それにもかかわらず、ＡＩによる創作に関してこのような否定的な傾向が見られたことから、人間が根源的にＡＩ（機械）によって一定以上自動化された創作に対して、否定的な感情を持つことがうかがえます。

「人間がつくったかどうか」が最大の価値基準？

2つ目の研究は、「人間対ＡＩ──ＡＩが制作したアート作品よりも人間が制作したアート作品を好むのか。そしてその理由」と題された論文で、生成ＡＩの登場によってＡＩと創作に関する議論が本格した2023年に行われたものです。

この実験では150人の被験者に対して、「人間がつくった」「ＡＩが生成した」というラベルをランダムに割り振った画像を見せ、「どれくらい好きか」「どれくらい美的だと感じたか」「どれくらい深みや意図を感じられたか」という項目について、5段階評価させました。この実験には大変面白い仕掛けがありました。

実は、実験に使用された画像はすべてＡＩによって生成されたもので、人間が制作したものは1つもなかったのです。つまり、この実験で「人間がつくった」「ＡＩが生成した」とラベルが付いた画像の間で回答の傾向に差が出るとすれば、作品の物理的・表面的な性質は関係なく、「ＡＩが書いたのか、人間が書いたのか」という作品の背景情報が評価に影響を与えていることになります。

この実験の結果は、「人間が書いた」というラベルが付いた画像のほうが、どの項目についてもより高く評価されたというものでした（図4-6）。

以上の研究を踏まえると、人間がコンテンツを鑑賞する場合、コンテンツそのものではなく、その作品に付与される背景情報に大きな影響を受けていること、そして「人

図4-6　AI／人間の創作物に対する評価比較

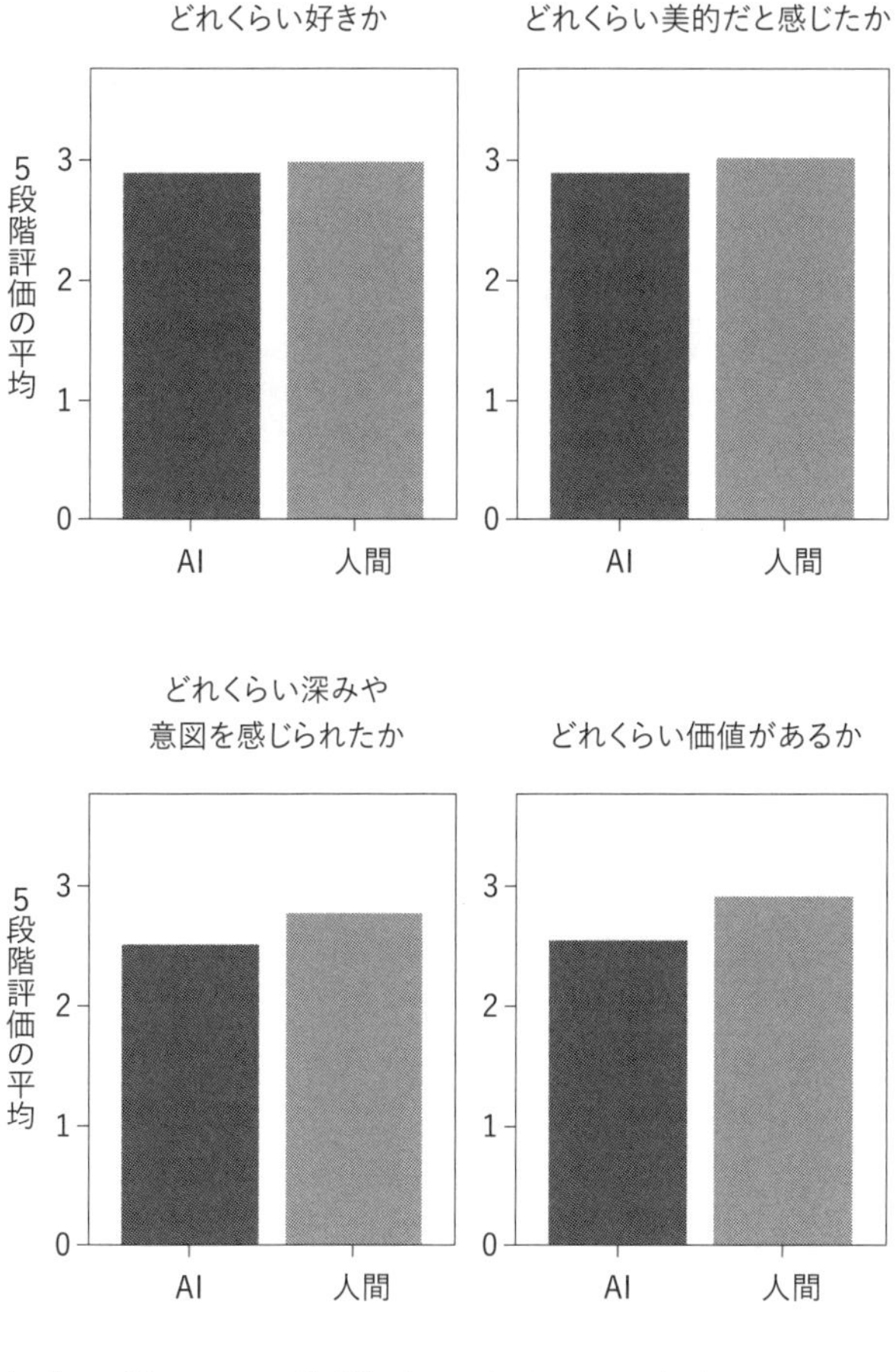

出典：“Humans vs. AI: Whether and why we prefer human-created compared to AI-created artwork”をもとに作成

によって生み出された」という背景情報に対して肯定的な傾向を示すということは明らかです。

しかし、今後の技術発展を考えると、将来的に生成ＡＩによって生み出される作品は、現時点ではまだ見られる不自然な部分も克服し、人間の生み出す作品と表面上は見分けがつかなくなるでしょう。本章の冒頭で例に挙げた私のイラスト投稿に対する反応の違いが生まれたのは、「人間が生み出したものに高い評価を与えたい」という、ある種の本能的な価値観が根源にあったからだと言えるでしょう。

一方、これらの研究からは明らかでないこともあります。ＡＩによる生成と人間による創作を分ける基準はなんなのか、という点です。

すでに現在の創作コンテンツにも、ＡＩや機械によってある程度自動化された部分が混じっていることは珍しくありません。将来的には、作者はともかく外部からは判断できないものがますます生まれていくでしょう。そもそも、ＡＩか人間かを問う意義自体に、疑問が生じてくるかもしれません。

これは創作作品の鑑賞を楽しんできた筆者の私見になりますが、先ほどの研究における人間かＡＩかという二元論も、実際のところは本質的ではない気がします。

われわれは作品を鑑賞する際に、作品を生み出すクリエイターの情熱や、作品に込められたストーリーも含めて受け取り、感動しているのだと思います。生成ＡＩが発展する以前であれば、高品質な作品の背後に、自然とクリエイターの情熱と込められたストーリーが存在すると見なせました。仮にある程度、ＡＩや機械的な自動化の影響を受けているとしても、高い技量と根気、情熱がなければ、そのような作品を生み出せるわけがなかったのです。

ところが、そこに自動化のレベルが何十段階も進んだ生成ＡＩが現れ、誰もが手軽に高品質な作品を生み出せるようになったことで、われわれの作品鑑賞における常識がうまく機能しなくなっているというのが、現在の状況だと思います。

おそらく今後、従来のクリエイターは、自身の感情面での自動化の許容度と、生成ＡＩの利用によって得られる効率化などの恩恵度合を考慮して、最適な利用ラインを選択していくと思います。人によっては、まったく利用しないという選択も考えられるでしょう。

生成ＡＩ登場以降にＡＩを利用してコンテンツ生産者になった人は、その利用ラインもゆるやかかもしれません。プロンプトを工夫する行為が、本人にとって情熱やストーリーを反映するものとしてとらえられるのであれば、それはそれとして尊重されてもいいと個人的には思います。

では、鑑賞者側は何を基準にコンテンツを味わうのか。これも、人によって異なるラインができていくのでしょうが、創作物を生み出そうとした人そのもの、あるいはコンテンツ上で表現されたこだわりや工夫のようなものに注目することになるのではないかと思います。

第5章

生成AIとともに歩む人類の未来

「言語の獲得」以来の革新になるか？

AIに聞けば、すべての疑問が解決する？

本章では、より中長期的な視点に立って、将来的に生成ＡＩによって生じるであろう影響とその負の側面、議論されている問題、そして人類の未来への展望を述べます。

本章の記述は、先行研究や実際に起きている事象を参考に解説したこれまでの章とは異なり、研究者の間で合意が得られた考えではありませんし、私個人の意見を多く含んでいます。実現しないこともあるかもしれませんし、負の影響については過小評価しているかもしれません。

以上のことをご理解いただいたうえで、これから生成ＡＩについて考える参考になるよう議論を提供できればと思います。

さて、将来的にはGoogle検索や現在のChatGPTがパワーアップする形で「ＡＩに聞けばなんでも解決する」世界がやってくると思われます。日常の悩みも、リアルタイムで起きていることも、ゲームの裏技も、仕事で行き詰まったことも、人類の積み上げた科学知識も含めた「なんでも」です。

現在のChatGPTなどの生成ＡＩは、入力できる文字数の制限やハルシネーション（嘘の情報を出力すること）、学習に使用するデータを収集した期間などの技術的制約から、真の意味でなんでも聞いて解決してくれるものではありません。まして画像を入力としてまともな回答をしてくれるＡＩはまだ少数であり、質問への回答に画像や動画、実際の操作画面などを返してくれる実用的なＡＩはまだ存在しません。

また、現在の生成ＡＩは稼働させるために膨大な計算リソースを必要とすることから、個人が独占して利用することもできません。

一方、技術発展の異常なほどの速度を目にしている研究者の視点では、これらの技術的な問題については、おそらく中長期的には解決されるものと思っています。文字数の制限という点で言えば、本書を執筆した短い期間でも、よく使用されるモデルで数倍、ある特定のモデルでは数百倍以上の性能改善をしたとの研究が出てきています。また、２０２３年末には、Googleが「Gemini」と呼ばれるOpenAIのGPT-4すら超えるとされる生成ＡＩモデルを公開しました。

アイディアさえあれば、なんでも実現できる?

技術は人ができることを拡張するものです。技術の1つである生成AIも、これまでに本書で見てきたように、個人が実現できる限界を拡張する範囲は非常に広範におよびます。

「アイディアはあるが、それを実現する能力がない」という人は多くいます。よく実現されないアイディアには価値がないと言いますが、実現すれば価値が生まれるアイディアが埋もれてしまっているのなら、世界にとっての機会損失です。反対に、実現能力や金銭、人脈などの問題で実現されなかった世界中の人の頭の中のアイディアが、もし生成AIによって解放されれば、それは世界全体にとって大変価値があることです。

奇抜なアイディアを思いついたプログラミングの初心者が、世界的に活用されるアプリ・ソフトウェアをつくってしまうかもしれません。音楽、グラフィック、シナリオなどのすべてを個人が担当して、ハイクオリティなゲームをつくることもできるでしょう。アニメや映画のような集団で製作される作品も、一人でつくれるようになるかもしれません。長期的には、生成ＡＩの助けを借りて作成されたコンテンツが当たり前となった、新しいプラットフォームのようなものが出てくる可能性もあります。

人間は「人間にしかできない」ことに集中する？

生成ＡＩによる生産性の向上は第3章でも触れました。言語生成ＡＩなどを日々の業務に組み込むことで、今までは人間がやっていた多くのことが自動化され、より短時間でこなせるようになります。

本来は人間が行っていた作業がなくなるわけですから、人間は別の活動に時間を割けるようになります。そしてそれは、人間にしかできない活動になるでしょう。業務であれば、ルーチン的な事務作業や資料作成ではなく、根本的な事業改革のアイディアを生み出すことや、社会や人類の未来に対してどう貢献すべきかを考え直すことなどです。

生活レベルで言えば、人付き合いに割く時間や、個人が「楽しめる」時間を増やすことでしょう。それはゲームでも動画鑑賞でも読書でもなんでもいいはずです。ＡＩは人間の代わりに仕事をやってくれますが、人間の代わりに楽しむことはできません。

また、労働の義務がなく自由な思索に集中できたために、古代ギリシャの哲学者が革新的な思想を生み出せた歴史や、資産家に保護されることによって、ルネサンス期の文化人が活躍できた歴史などが示すように、「自由な時間」は人間が創造性や独創性を発揮させ、新たな発見や発明、芸術的な表現を創出する源泉となります。

生成AIは学習データを無断で使用していいのか？

ここからは、生成ＡＩに関して巻き起こっている議論を掘り下げたいと思います。

生成ＡＩと呼ばれているＡＩのほとんどは、学習のために膨大なデータを必要とします。もっとも、これは生成ＡＩに限った話ではなく、われわれが普段何気なく使っているサービスの背後にある、生成を目的としないＡＩでも同じことです。これは、現在の人工知能技術の主流で生成ＡＩの基盤技術となっている機械学習・ディープラーニングの本質的な性質が、「膨大なデータから学習することで、とてつもない性能を発揮できる」ことに起因します。

これらのＡＩを運用しているのは、Google、Amazon、Meta、Appleのように、インターネット上で多くのデータを収集している企業、あるいはWebのクローリングによってデータを収集しているOpenAI社や大学のような組織です。

われわれはこれらのサービスを日常的に、背後にあるＡＩの学習データを意識することなく利用していますが、ほとんどの場合、学習のもとになるデータは、普通にインターネットを使用している一般ユーザーが生み出した文章や画像です。つまり、これらのデータは、生み出したユーザーが著作権者として権利を持つ著作物です。

しかし、インターネット上になんらかのコンテンツを投稿したことがある人で、Googleなどからデータの使用許可の要請を受け取った人はまずいないでしょう。基本的にほとんどの場合、これらの著作物を許可なくＡＩの学習に使うこと自体は合法です。

これまでは、そのことで被害を受けたという意識を抱く人は少数でしたが、生成AIブームによって、このようなデータを用いた学習が注目を集め議論となっています。

文章の執筆を生業とする作家や翻訳者もそうですが、特にイラストなどの創作活動を行う業界でこのことが問題視されています。「無断学習」という言葉を用いて、生成AIの使われ方以前の問題として、生成AIの学習の是非について問う声も大きくなっています。最も極端なものになると、「無断学習されたAIを（生成目的で）使うべきではない」とする主張も見られます。

強く規制すると、あらゆるサービスの利用が阻害される

今後、生成AIについてガイドラインや努力義務の設計、場合によっては立法も含めたなんらかのルールづくりが進むことについては間違いないでしょう。それに向けた意見の表明なども歓迎されるべきものです。

一方で、これはおそらく生成AIの学習自体を規制するものではなく、その使用段

階が対象としたものが主になると思われます。

前提として、日本においては著作権法30条の4によって、原則としてインターネット上の著作物を、著作権者の許可を得ずにＡＩの学習などの情報解析目的に使用することは、商用利用も含めて合法とされています。つまり、情報解析目的の場合は著作者の権利が制限され、許諾を得ずに著作物を利用してもいいということです。

現在の生成ＡＩの基盤技術を支える「膨大なデータから学習することで、とてつもない性能を発揮できる」という性質を考えると、何千万、何億という膨大なデータに対してひとつひとつ許諾を求めるのは現実的ではありません。許諾を得られないことを理由に学習を諦めれば、人に多くの恩恵をもたらすＡＩの力を発揮することができません。

著作権法30条の4は、こうしたＡＩも含めたＩＴサービスの恩恵を最大限に受けられるよう成立したという背景があります。

もちろん著作権法30条の4も、無制限に適用されるわけではありません。これが適用されるのは、「当該著作物に表現された思想又は感情を自ら享受し又は他人に享受させることを目的としない場合」に限られ、「当該著作物の種類及び用途並びに当該利用の態様に照らし著作権者の利益を不当に害することとなる場合は、この限りでない」というただし書きが付いています。現在の日本の著作権法の範囲内で、生成ＡＩの学習について議論すべき焦点があるとすれば、この部分でしょう。

ただ、これについても生成ＡＩの学習段階では、文章や画像の一般的な概念・アイディアを獲得することが目的であることから、享受目的には該当しないという考えがあります。ただし書きの適用についてもかなり限られた状況を想定していることから、現時点では学術・法曹・行政の解釈では問題ないという考えが主流です。これについては、少なくとも創作分野に関わる生成ＡＩについて、本書の執筆時点では決着がついているとは言いがたく、最終的に司法の判断を待つ形になるでしょう。

生成ＡＩを問題視する側の意見は、そもそもこのような著作権法（外国ではアメリカのフェアユース規定など）が現状に対応しておらず、生成ＡＩの学習自体を規制する法改正を求めるというものです。

ただ、すでに述べたように、このような学習自体を禁ずる方向の規制は（少なくとも法律レベルでは）考えにくいでしょう。このような学習を規制することによって、巻き込まれる範囲があまりにも広すぎます。仮に「著作物を学習データとするＡＩ」について、「学習に使用するデータの著作権者の許可を取っていない」ものを規制する法律ができたとしましょう。当然、今存在する画像生成ＡＩなどはほぼすべて規制されることになります。ここまでは規制を求める側の希望通りでしょう。

しかし同時に、われわれが日常的に使用するインターネット上のサービスの相当数も規制されます。Googleなどの検索サービスから、スマートフォンに初期搭載されているようなアプリまで、検索、写真の加工機能などの背後にはこのような学習を行ったＡＩが数多く存在します。

「これまでのサービスの背後にあるＡＩは、生成を目的にしていなかった。今の生成ＡＩとは違う」という意見もありえます。では、先ほどの規制の対象を「著作物を学習データとするＡＩ」から、「著作物を学習データとするＡＩのなかでも、生成的な動作を行うもの」に変えるとどうなるか。

これでも状況はほとんど変わりません。この場合でも、生成ＡＩの学習に反対している人でも日常的に使っているであろう翻訳サービス、動画サービスの文字起こし、デジタルペイントツールの自動彩色機能など、多くの機能やサービスが巻き添えとなって規制されてしまいます。未来に目を向ければ、人類に恩恵をもたらすであろう革新的な情報科学技術の発展を阻害することになります。

このように、そもそも生成ＡＩが行っているような学習は、本来はそこまで特別なものではなく、人びとがそれと意識せずに利用していた多くのＩＴサービスの背後で動いているＡＩにも適用されているのです。

一方で、すでに現在の生成ＡＩでも、その使い方に問題がある事例が多く観測されているのも事実です。使用段階において、明らかに現行法を適用できるものや適用を検討できそうなもの（たとえば特定の著作物をＡＩで改変して公衆送信すること、特定のクリエイターの作品を集中学習させたモデルを使用することなど）については、そのまま対処・ガイドラインを公表しつつ、それでも取り締まれない問題となる使用については、立法も視野に入れるべきでしょう。

ここまでの話は、著作権法により（議論はあれど）保護の範囲がある程度明確な画像などの著作物を対象としたものでしたが、その範囲がこれらほど明確な形で示されていないものも存在します。本書の執筆時点ですでに物議を醸している、人間の「声」がその例です。

現在の最先端の生成ＡＩは、短い声のサンプルがあれば、学習対象による発声と区別がつかないレベルで自由にセリフや歌などの音声データを生成できます。人間の声は生得的で個人に特有のものであり、認証に利用されるなど個人の属性を強く反映するものです。

その点で、画像や音楽とは異なるレベルでの保護が必要であるとも考えられますが、ＡＩによる声の学習や生成行為については、著作権だけでなく肖像権なども含めた複雑な要素があり、議論が続いている状況です。

現時点で出されている見解の１つは、無断でＡＩによって特定の声優、著名人などの声を生成して商用利用する行為については、それが当該人物の声と認識されるものであれば、パブリシティ権侵害に当たるというものです。特定の声優の声を無断で学習したＡＩによる発声や歌唱を公開するといった行為が発生していますが、この見解に基づけば、そのいくつかは規制の対象になる可能性が高いでしょう。

ここまで見てきたように、生成ＡＩの学習や生成について、何もかもを法律で規制することは現実的には困難です。法的な規制が難しい部分は、生成ＡＩの開発・利用者の努力義務にとどまるでしょう。

ただ、その努力義務に対する取り組みが、生成ＡＩによるサービスを提供する企業にとっての価値の一部になることも考えられます。たとえば学習について、法的な一括規制は難しくとも、「学習に使用されたくない」という希望を受け入れ、学習データから除外する努力を開発側から行うことは検討されるべきです。OpenAI社は、学習に使うデータを収集する「GPTBot」のクローリングをブロックするための手順を公開しています。加えて、学習データの透明性、著作権者への収益の還元なども、現実的な範囲で検討が進むことが期待されます。

デジタルコンテンツは本物と偽物の区別がつかなくなる？

突然ですが、「トランプ大統領　逮捕」などのワードでGoogle検索して、関連画像を見てください。いくつかの画像が出てくると思いますが、そのなかにトランプ元アメリカ大統領が複数の警官に取り押さえられている写真があると思います。

見かけ上は本物の写真のようですが、これはMidjourneyによってつくられたフェイク画像で、ディープラーニングを用いて生み出されるフェイクコンテンツ、いわゆる「ディープフェイク」です。トランプ元大統領はこのフェイク画像が出回ったあと、逮捕ではないものの本当に起訴されてしまい、本物の警察記録写真（マグショット）が出回ることになるのですが、現在のインターネット上では、フェイクと本物の逮捕・起訴写真が混在しており、あたかも両者に関連性があるように見える状況になっています。

ディープフェイク自体は、生成ＡＩブーム以前から問題視されていました。しかし、当時のものは技術的に未成熟であり、不自然な部分が多く存在したり、動画像以外の部分についてはフェイクが難しかったりしました。

しかし、生成AIの発展によって、デジタル化できるコンテンツについてはほとんどすべてにおいて、本物と見分けがつかないものを生成できてしまう世界が近づいています。現在では、実在しない人間の画像を生成し、それを違和感なく動かした動画をつくることが可能であり、個人の声についても30分、高品質なものを求めなければ3秒程度のサンプルがあれば、本人のものと聞き分けることができない声を生成することができます。

すでに何度か触れたように、イラストについても、特定のイラストレーターが描いたものと見分けがつかないものを第三者が生み出すことができます。言語生成AIによる文章は、個人の属性に対するフェイクとして機能することはほとんどありませんが、偽情報を流す目的で利用される可能性があります。また、使用者本人が意図しない形で誤った情報を含む文章が生成され、拡散される可能性もあります。

このような世界では、デジタル空間で目にするあらゆるコンテンツを疑わざるをえません。おまけに、自分に関連したフェイクコンテンツがどこかで作成され、拡散される可能性に怯えながら生きることになります。

このような事態は回避すべきです。また、フェイクではなくても、第4章でも述べたように、ＡＩが用いられた作品がどの程度人間から受け入れられるかは、まだ議論の余地があります。生成ＡＩで誰もが生産者になれるとしても、人が本質的には人によってつくられた作品を好むという事実を考えると、既存の作品と同じ場で無制限に公開されることには慎重になる必要があります。

すでに、生成ＡＩによって生成されるコンテンツに対して、透かしを入れたり、生成される過程を記録・開示したりするなど、さまざまな対策が検討されていますが、対策しようとする検知側とそれを回避しようとする生成側とのイタチごっこが続いているというのが実情です。

高度な生成ＡＩによって生み出されたものを発見できるのは、同じく高度なＡＩを置いてほかにはありません。私の意見としては、生成ＡＩのサービスを提供する側が、検知のための機能も同時に提供する、という形になっていくことが妥当だと思われます。

情報の送り手と受け手のつながりが希薄化する？

本章の冒頭で、「AIに聞けばなんでも解決する」世界がやってくると述べました。単純な質問の解決だけでなく、創作などもAIによって生成されたものを参考にすることが多くなってくるかもしれません。ユーザー視点では、得られる情報が検索よりも質が高いものになる、探しやすくなるなどの利点があるでしょう。

しかし、「AIに聞けばなんでも解決する」ということは、裏を返せばAI以外のものに一切頼らなくなるということです。今までは、自分だけでは解決できない問題に遭遇した場合、身近な人に聞く、検索によってたどり着いた記事を参考にする、他の人によって作成されたコンテンツを参考にするといった手段で解決を試みていました。

この過程で、アドバイスを求めて話を聞いた人、参考となる資料やコンテンツを作成した人、あるいは認知した企業などの存在を、なんらかの形で意識することになります。その結果、人や組織との関係が生まれる、個人や企業のプロモーションにつくながる、参考にした相手への敬意が生じるといったつながりが生まれていました。ところが、ＡＩによって解決される範囲が増えすぎると、これらが希薄化する懸念があります。

情報発信やコンテンツの作成を生業としている側の視点では、この事態は致命的です。プロモーションの機会が失われることで、利益の減少にも直結します。特に、活字媒体の利用には大きく影響するでしょう。

この事態を軽減するためには、生成ＡＩの生成結果に出力の根拠の引用を含めるといった処置が考えられますが、現在の生成ＡＩのモデルそのものには、出力から学習に使用したデータの出典を特定する機能は存在しません。今後は出力結果から類似度検索を実行し、できる限り出典を開示するようなシステムの需要が出てくるでしょう。

人類の歴史を劇的なものにした「言語の獲得」

最後に、生成ＡＩの登場が意味するものについて、人工知能を研究してきた者の視点で、より長期的な人類発展の歴史とその未来を関連づけた考察を行います。

人類の発展の歴史を考えると、ＡＩ（特にChatGPTのような言語生成ＡＩ）が「言語を扱えるようになった」という事実は、今後のＡＩ自体の発展と人類の未来を考えるうえで特別な意味を持っている、というのが私の考えです。

地球と生物、人類の歴史について振り返ってみます。

地球が誕生したのは46億年前です。誕生直後は宇宙に浮かぶただの岩石の塊だった地球は、その後の降雨によって「水の惑星」に変わります。約40億年前には、海のなかから奇跡的な偶然によって「生物」が誕生します。そして、5億年前に生物は海から地上へと進出し、地表は植物に覆われ、大地には大小さまざまな生き物が動き回るようになります。

その後、生物たちがひたすら生命のサイクルを繰り返す歴史の果てに、人類の歴史が始まります。ただ、大変賢いはずのわれわれ人類の祖先が誕生しても、そこから続く数百万年は、その生活にも地球の様子にも大した変化はありませんでした。

約20万年前には「ホモ・サピエンス」、つまり今の私たちと生物学的には同じ種が出現しました。見た目も能力も今の私たちと同じはずですが、この段階にいたってもなお、大した変化はありませんでした。

約5万年前、このあたりから人類や地球の様子が加速的に変化してきます。この5万年という期間は、地球の歴史はもちろん、人類の歴史のスケールで考えてもとても短い時間です。地球の歴史46億年の約9万分の1、人類の歴史700万年の140分の1程度にしかすぎません。

地球ができてから、さらには人類が誕生してからも、ほとんどの期間は何も起こらなかったのに、つい最近である5万年前から人類は、その気になれば地表を焼き尽くす兵器を開発し、月に到達し、機械で地球を覆い、環境を破壊し尽くし、人以外の生物を蹂躙《じゅうりん》し、現在はAIなるものを生み出そうとしています。人類をして、この5万年の大変化を起こしたものはなんだったのか。

これには諸説ありますが、その要因として多くの研究者から筆頭に挙げられているのは、「言語の獲得」です。世界的なベストセラー『サピエンス全史』（邦訳版は2016年、河出書房新社刊）の著者であるユヴァル・ノア・ハラリなどは、この言語の獲得、つまり人類の新しい思考と意思疎通の方法の登場を指して「認知革命」と呼んでいます。

言語の柔軟性によって、情報共有の幅が広がるだけでなく、現実には存在しない概念を表現し理解できるようになった。それが人間のコミュニティをより強固にした。自分が今考えていることを整理し、創造と発明ができるようになった。これらが、言語の獲得を人類の加速的な発展のきっかけと考える理由です。

旧約聖書の創世記には、人間が協力して天まで届く「バベルの塔」をつくろうとしたことに怒った神が、それまで統一されていた人間の言語を互いに理解できないように分割してしまった話が出てきますが、これは人間の「言語」がそれだけ強力であることを示した話でしょう。言語によって、他の生物とは隔絶した知能を得た人類はその後、農耕、文字、鉄などを生み出し、コンピュータやＡＩが存在する現在にいたる急速な発展を遂げることになります。

ディープラーニングが「眼の誕生」なら、生成AIは「認知革命」

さて、1900年代中盤にはコンピュータが発明され、AIの概念が登場しました。AIの発展は冬の時代を挟みつつも着実に進んでいたのですが、2012年にディープラーニングが登場すると、再び加速的な発展の兆候が出てきます。

東京大学の松尾豊教授はディープラーニングの登場直後、それを地球上の生物の歴史における「眼の誕生」にたとえました。原始的な生物は、単純な刺激に対する応答で動いていましたが、「眼の誕生」によって視覚情報が優位になった結果、生物の見た目や生存戦略に大きな変化が生じ、生物の多様性につながりました。

ディープラーニングは、機械、あるいはその機械を使う企業活動に、外界のデータから視覚（画像）も含めた膨大な情報を活かせるようになったという意味で、「眼の誕生」と共通する点があるというたとえです。

先ほど言語の獲得によって起こった大きな変化の話をしましたが、生物の歴史では眼の誕生も同じくらい大きな役割を果たしたと言えます。現在の生成AIは上記の説からさらに進んで、人類あるいはもっと一般的な生物の歴史で言うところの「言語の獲得」が起こった段階である、そう私は考えています。

ハラリの言葉を借りて、「AIの認知革命」と表現してもいいでしょう。ChatGPTの台頭から約1年、その短い間に起こった生成AIや社会の加速的な変化を考えると、まさに今目の前でこのような革命が進行している気がします。そして、その加速的な変化によって、そこまでは長くない、意外と近い未来には、われわれが想像もできないような機械の知能と、それによって変革させられた社会が実現するのではないかというのが私（や一部の研究者）の考えです。

言語の獲得に限らず、産業革命以降の人口や経済の急速な発展にも見られる、いわゆる「指数関数的な成長」が始まる起点、人類の時代をそれ以前とそれ以降に分けるようなイベントが起きているのが、まさに今ではないでしょうか。

「超知能」の前では、凡人とアインシュタインの差すらも無意味に？

この世界で最も賢いアリを考えてみてください。アリには失礼かもしれませんが、賢いと言っても大したことはできません。エサの発見がうまいとか、敵から逃げるのがうまいとか、アリの社会では意味を持つ差があるかもしれませんが、あくまで「人間の視点」から見れば、アリのなかで最も頭が悪いアリと最も賢いアリに大した違いはありません。それはアリが魚になっても、魚が犬になっても同じことです。

ここで言いたいのは、人以外の生物が賢くないということではなく、知能というものが相対的な概念だということです。人間からは先ほどの生物の知能には大きな違いがないように見えますが、それぞれの生物間では、その知能の差には大きな意味があります。

普通の人間とアインシュタインには、「人間の基準では」その知的能力には圧倒的な差があります。そして、アインシュタインの偉業を考えれば、その差には大きな意味があることは「人間の基準では」疑いようがありません。

それでは、先ほどのアリと同じ議論で、将来出てくるであろう人を超えた機械の知能から見て、この差に意味はあるのか。ましてや、この機械の知能はタンパク質由来でもない、生命にも意識にも縛られない、「質」からしてまったく異なるものです。

知能は相対的なものであるとすれば、機械の知能が人間を超えた場合、その知能が超えるのは人間一般であり、その「超知能の基準では」一般人とアインシュタインの間にも大した差はないはずです。

この機械の知能が、われわれ人間には想像できない「何か」を考え、生み出す、と主張することはそこまで飛躍したものではないでしょう。その知能が何を生み出してくれるかは残念ながら、おそらく人間が想像することはできません。アリや魚や犬が、人間が核やAIなどという奇妙なものを生み出すとは想像できなかったようにです。

タイムスリップができるようになる、宇宙の謎を解き明かしてくれる……われわれの知能が想像できる飛躍的な発想はこの程度ですが、機械の知能にとってはこれも大したことではないかもしれません。

私のような人工知能研究者が楽しみにしているのは、この機械の知能が、人間の思考の限界を超えて、人にとって嬉しい、価値のあるものを生み出してくれるという未来です。そして、恐れているのはこの機械の知能が、人間の想像のはるか外にある脅威を持ち込んでくるという未来です。

ここまでの話は、ほとんど研究者の想像です。このようなことが起こることを示す確実な証拠は何も存在しません。

何か証拠らしきものを強いてあげるとすれば、ＡＩの発展の速度は、このようなことを考えてきた研究者の過去のたくましい想像を、何度も超えているという事実です（過去のＡＩ書籍に書かれた研究者の未来予測を読めば、どれだけ成長速度を低く見積もっていたか、おわかりいただけると思います）。

特別対談

松尾豊×今井翔太

生成AI時代に求められるスキルとマインドとは?

AIがもたらす未来は、予測不能な高次の領域に

今井　もはや言うまでもないことですが、AI技術の急速な発展は私たちの生活を大きく変えていきつつあります。今後も急激に進むであろうAI技術の進化に対して、「近い将来、AIがノーベル賞を受賞するのではないか」という仮説が立てられたり、「絵画や文章、音楽など、人間が築いてきた文化をAIが揺るがすかもしれない」と言われたりしています。

　このようなさまざまな予測に対して、松尾先生はどのようにお考えですか。そもそもAI自体は、どのようなことができるようになるのでしょうか。そして、それが人びとの暮らしや産業・社会構造をどのように変えていくと予測されているでしょうか。短期（5年以内）・中期（5年〜15年）・長期（それ以上先）と、それぞれのタイムスパンでお聞きしたいです。

松尾　2015年の時点では、私は「AIは2020〜2025年の間には家事や介護といった他者理解が求められる仕事も担えるようになり、2030年くらいには秘

書業などホワイトカラーの仕事の支援や教育も代替されていく」という業界予測をしていました。

しかし、今の状況にいたって予測は簡単ではないですね。なぜなら、今はChatGPTなどの大規模言語モデルの技術が急速に発展して、先に発展するであろうと予測した技術と順番が入れ変わっている印象があるためです。

大規模言語モデルには技術的な限界もいろいろとあるのですが、それでも今後、相当広い領域にまで広がっていくでしょう。たとえば、秘書業などのホワイトカラーの仕事の支援や教育の分野においては、今後5年の間にガラリと変わってくるはずです。また、家事や介護などのロボット系の技術革新も進みます。それはおそらく5年後くらいになると思いますが、それよりも早く進展する可能性もあります。

今井　「5年以内」というスパンでの予測について、生成ＡＩとは別の分野になりますが、個人的にお聞きしたいことがあります。現在、松尾研究室内のプロジェクトで、運動系ＡＩの研究が進んでいます。この研究成果も、5年後には発表できるでしょうか。

松尾　もちろん、5年以内には研究成果としては出ると思いますが、研究成果が社会に普及するには、もう少し時間がかかるでしょう。研究室内で開発した技術は、裏付け（prove）を経たのち、どんな場面で使うのかを確定させてから実際の生活のなかに入り込むという段階を踏んで広がるものです。

たとえば画像認識の技術は、国際的な画像認識コンペティションの「ILSVRC2012（ImageNet Large Scale Visual Recognition Challenge 2012）」で、カナダのトロント大学のチームが驚異的な成績で優勝したことによって注目されました。それから2015年～2020年ごろにかけて、その技術を使った製品が登場し、今では当たり前の手段として普及しています。

今、松尾研究室で行っている研究は、まだ裏付けが取れていない段階です。これを数年かけて実証し、さらにそこから5年くらいかけて広がっていくというのが、研究成果が一般社会に普及していく標準的な流れです。

確かにAI技術は、これだけのブームになっているように、一気に広がってはいます。ですが、それがさまざまなサービスやシステムのなかに組み込まれ、それぞれの分野において、もはやそれを生成ＡＩだと意識すらしないほど身近に浸透し、単に「すごく使いやすいもの」「手放せないもの」として認識されるようなレベルになるには、やはり5年くらい、ハードウェアを伴わない生成ＡＩの技術だとしても、2～3年かかるでしょう。

今井　次に、中期的な5～15年後の未来についてお尋ねします。ここまで来ると、たとえ松尾先生といえども予想が難しい気がしますが、いかがでしょうか。

松尾　具体的な事象を述べるのは難しいですね。ただ、人間の知能の仕組みがわかったり、「人間とは何か？」という哲学的な議論が出てきたりして、面白い時代になっていくだろうとは思います。

今井　そうですね。この段階にまで来ると、研究成果からどういう影響が出るのかまで予測するのは難しいですね。

ただ、人間の知能の謎が解けたら、研究的にはすごく面白いと思います。先生は、人間の知能の仕組みがわかることが、産業や社会構造をどう変え、どういうところにつながっていくと思われますか。

松尾　人間社会全体が大きく変化すると思います。学問分野で言うと、これまでの人文社会系分野のあり方が大きく変わるでしょう。人間そのものに対する理解や社会に対するとらえ方も根本から変わるでしょうし、それに関連してさまざまな変化が起こっていくと思います。

今井　なるほど、人間社会のあり方に影響を与えるというのは、大きな変化ですね。

私は中期的なスパンでは、ＡＩが自律的に新しい研究成果を生み出して、それが人間社会に実装されるようなことが起こってくると考えています。たとえば今、松尾研究室をはじめ多くの研究機関で進められている「研究の自動化プロジェクト」などがそれに当てはまると思います。松尾先生はどう思われますか。

松尾　それは、ロボット系の技術革新のあとに起こってくるでしょう。

これまで、ロボットやＡＩが得意にしてきた業務は、インプットされた大量のデータからパターンを学習して行うものでした。すでに存在する数式を組み合わせて問題を解決するという方法です。

しかし、研究の自動化となると、ＡＩが新しく数式を思いついたり、今まで理論化されていないことを体系化して理論化したりすることが必要になります。どういうふうにすればこれが可能になるかは、かなり難しい課題です。
ただ、この分野における15年という時間は、はるか先の話ですから、予測は難しいと思います。

今井　そうですね。この分野においては、1カ月前のことでも「昔の話だ」と言われますから、15年先は想像できないですよね。
実際、2022年のChatGPT登場以前、著名な先生方がさまざまな未来予想をされていましたが、以降の革命的な流れを考えると、それらの予想はほとんど外れていると言っていいかもしれません。

松尾　技術の進歩のスピードは非常に速くなっていますからね。

今井　最後に長期的な予測についてお尋ねしたいところでしたが、ここまでのお話を踏まえるとナンセンスな質問ですね。研究者の視点で言えば、ここから先はほとんど妄想の世界になりそうです。15年以上先の世界は、もしかしたら「研究をしているのは人間なのか？」というレベルの話にまでなっているかもしれません。

松尾　想像するのは難しいですね。

今井　「人間とＡＩとがこういうふうに関わっていく世界になっていってほしい」というお気持ちや願望はありますか。

松尾　私は、そこから先は「人間の知能の相対化が起こる」と考えています。「人間の知能とはこういうものだ」とか、「人間とはこういう存在だ」ということが、ＡＩ技術の発展によって相対的に理解されるようになってくるはずです。そのときに私たちは、「社会はどうあるべきか」という高次の問いと対峙することになります。

人間そのものや人間の知能に対する相対化が進むと、今の質問のような「こうありたい」「こうしてほしい」という人間の欲望や感情ですら、人間の精神活動におけるアルゴリズムの１つの事象として解明されるでしょう。脳科学や進化生物学との融合領域になると思います。そうして人間の感情や精神活動の仕組みがすべて相対化されたとき、人間は何を望むべきなのか。きっとその先には、もっと高次な、メタな問いが待っています。

「想像するのは難しい」と言ったのは、そういうことです。将来的には、おそらくユヴァル・ノア・ハラリ氏による『サピエンス全史』の最後の1文で述べられていた問い（「私たちは何を望みたいのか？」）が本質的だと思います。

メタ認知を上げて、戦略的思考を身につけろ

今井　先生は、これからの仕事のあり方について多くのインタビューを受けていらっしゃいます。そこでは、仕事の仕方は激しく変化し、仕事自体も激変すると述べられています。

改めてうかがいたいのですが、そのような時代に、個人が身につけるべきスキルや心構えとして、どんなことが重要になるでしょうか。

松尾　たとえば、われわれ二人の共通の趣味である「ゲーム」を例に考えてみましょうか。今井君は元々ゲーマーで、有名なゲームの世界的ランキングで1桁クラスになった実績を持っていますよね。私も昔からゲームが好きで、プレイしながら多くのことを学んできました。

ゲームでは、課題をクリアするための戦略を立てます。特に戦略系のゲームだと、勝ちパターンを早く見つけ出して実行することが求められます。

その勝ちパターンとは、言い換えれば「極端な行動を取ること」です。

これはゲームに限りません。私は、ゲーム中に実践した戦略を日常的な行動に反映させています。何かを極端にやることは、良い作戦であることが多いのです。だから、私は極端であることをあまり厭《いと》わないし、むしろ「普通の人と同じことをやっていたら勝てない」という感覚を持っています。

それからゲームをしていると、創意工夫をしたときに成功することがたまにあります。小さなことでもいいので、そのような成功体験があると、自分なりに工夫したり、行動したりすることに抵抗がなくなります。そういった経験が積み上がっていくと、これからの時代に必要な心構えや姿勢が形成されていきます。

簡単なことではありませんが、行動することを厭わず、できるだけ動いたほうがいいし、新しいものを見たり試したりしたほうがいいですね。

より高次な視点から言うと、「自分自身のメタ認知をもう少し上げたほうがいい」

ということです。「自分はこういうときに面倒臭がるんだな」とか、「本当はこういう知識を得ておかないといけないのに、サボってしまっているな」とか、自分の行動や思考の癖《くせ》を俯瞰で観察する。これができるといいのではないかと思います。

今井　戦略的思考は、これからの社会でどのように身につけることができるでしょうか。ゲーム以外で身につける方法があれば、うかがいたいです。

松尾　ゲームと言っても、コンピュータゲームでなくてもいいです。将棋や囲碁でもいいし、スポーツでもかまいません。

勝負に勝つには、人ができない努力を淡々とやり続けたり、勝負どころを見極めて「ここだ」と思ったら一気に仕掛けたりすることが必要です。それはゲームに限らず、物事に勝つための普遍的なやり方だと思います。

たとえば「研究者として活躍したい」と思うなら、人と違うような極端なことをやらないと勝てない。ですから、私も博士時代にはひたすら論文を読み、文献を読み、論文を書きまくるという、すごく極端な戦略を取っていました。

あとはタイミングですね。ここだと思ったら一気にいく。それ以外のときは地道に淡々とやる。そうしたメリハリは必要でしょう。

今井　こんなふうに、先生とゲームの話を通してお話できるとは思いませんでした。元ゲーマーとして嬉しいです。

これからの仕事に対する私の意見ですが、今の労働者やビジネスパーソンは、基本的には上からの指示を忠実に実行する人がほとんどです。そのなかで、これから仕事の場にＡＩがどんどん入ってくるようになると、多くの人はいわばＡＩを雇用する立場になるのではないかと予想しています。

そこで必要なのは、ＡＩに対してうまく指示ができるスキルではないでしょうか。プロンプトエンジニアリング、つまりＡＩから望ましい出力を得るために、指示や命令を最適化するスキルが必要だと思うのです。ところが、多くの人は指示をすることがそんなに上手ではない気がします。これは、ChatGPTなどが登場してきたこれからの社会において致命的です。

この他に松尾先生が考えられる、ぜひ身につけておくべきスキルはありますか。

松尾　それは難しいですよ。特にアドバイスしなくてもやる人はやるし、やらない人はやりません。ちょっと意地悪な言い方をすれば、人に教えを請うている段階でだいぶ出遅れていますね。

社会の変化に対してどう対処していくかについて、世の中の人たちの行動は二極化していると感じます。変化していくのは当たり前だと、自分もどんどん対応しようとしている人、その姿勢が身についている人はたくさんいます。その一方で、変わらない側にいて、何かをやりたい、やらなければと思いつつ、結局変われない人もいます。両者の違いは、今後ますますはっきりしていくのではないでしょうか。

国に頼るのではなく、未来の舵は自分で握れ

今井　ここからは「日本」における未来についてうかがいます。希望的な観測としては、「国が多額の予算を使えば、ChatGPTに匹敵するレベルのツールが開発できて世界に追いつける」とか、「これからは仕事を仕事と思わない人が有利になり、ベーシックインカムありきで毎日暮らしていける」といった意見があります。一方で、少子

高齢化や物価高などが問題となるなか、未来を楽観視できないと感じる人たちも相当数存在します。

この先の未来が仮に明るいとしても、それは一部の人たちだけが得られる恩恵なのかどうか。また、明るい未来を迎えるために、日本は国として何をしていくべきなのか。先生のご提言をお聞きかせください。

松尾　こうした質問はよく受けるのですが、一般人の私が一般の人びとに向けて、「国としてこうしていくべきだ」とメッセージを送っても意味がないと思います。要するに、未来は自分の手でコントロールすることでしか変わらないので、自分自身がどうするかという、それだけではないでしょうか。

日本の置かれた状況に対して杞憂するよりも、「自分が活躍するためにはどうしたらいいか？」という問いを立てたほうがいい。どんな時代、どんな社会でも、活躍する道はあるし、実際に活躍している人はいます。

「日本がどうこう」というのは、自分に言い訳をしているか、できない自分を慰めているのと同じことだと思います。

今井　それでは先生は、今の時代をどんなふうにとらえていますか。

松尾　今は本当に面白い時代だと思っています。たとえば、私が江戸時代に生まれていたら、自分の祖先と同じような一生を送ることになったでしょう。そう感じるのは、江戸時代が300年間安定した変化のない時代で、自分がどんな人生を送るかがほぼ予測できたからです。でも、それはつまらないですよね。

今はどうでしょう。こんなにも新しい技術が生まれ、時代も大きく動いています。「多分こうだろうな」と簡単に予測のつく未来よりも、10年、15年先もわからない、そんな未来が待っているほうがさまざまな可能性があります。可能性があるからこそ、面白いと思うし、頑張ろうとも思えます。

「自分の人生」というゲームの主人公は「自分」です。どんなシナリオであろうが、うまくプレイすることができるはずです。みんながそういう心構えで自分の人生をコントロールすれば、結果的に日本全体が良くなるのではないでしょうか。

今井　研究者として、国にやってほしい政策などもないでしょうか。

松尾　あまりないですね。松尾研究室自体、自分たちがプレイヤーとして未来を切り拓こうと思ってずっとやってきましたから。たまたま今、それが結果として日本の中で注目されていますけど、それは別に日本という国が直接私たちに何かしてくれたからというわけではありません。

もちろん、日本の産業には成長してほしいと思っていますし、それに対して貢献できることはいろいろとありますから、一生懸命やっています。

「計算資源を増やす」というのもその1つで、「もっとGPU（Graphics Processing Unit／コンピュータゲームに代表されるリアルタイム画像処理に特化した演算装置）が必要ですよ」といったことを言っていますし、いろいろな形で発信はしています。

今井 国がどうというより、自分がプレイヤーとして何ができるか、というところで、先生は一貫されていますね。

松尾 そうですね。

今井 本日はお忙しいなか、ありがとうございました。

おわりに

本書も終わりに近づいてきました。

本書では、労働、産業、生活、創作など、人間社会のさまざまな分野に生成ＡＩが与える影響を論じてきました。これらを読んで、「生成ＡＩによって世界が変わるかもしれない」という意識を共有でき、その変わりつつある世界を生きる材料を少しでも提供できたのであれば、本書の試みは成功したことになります。

そうは思わなかった方もいるかもしれません。でもご心配なく。私がここまで書いてきたことは、生成ＡＩによって変わることのほんの一部です。これほどの技術について、1冊の小さな本に一人の人間が全部を書ききれるわけがないのです。

生成ＡＩは世界を変えるのか。答えはイエスです。それは本書で書いた目に見える変化だけでなく、人のあり方に対する考えも含めた大きな変化です。

ＡＩが人の知的能力の大半を上回るような事態が、生成ＡＩの登場という形で起こり、われわれ人間が単純な効率や生産性を中心とした大半の知的活動の主役の座から降りるときが現実のものになろうとしています。

囲碁や将棋の世界では、一足早く人間のチャンピオンにＡＩが勝利し、その世界における人間のあり方が問われることになりました。その結果は、今われわれが目にしているように、「ＡＩに匹敵する」超人的な人間、たとえば将棋ですべてのタイトルを獲得し8冠となった藤井聡太さんのような人物の活躍にプレイヤーのみならず、その周りの人間も熱狂するような世界です。

このような変化が人間の社会全体で起これぱどうなるか。私ごときが答えを出せる問題ではありませんが、私見を述べるとすると、生産性や効率性などといったものから離れて、「人間がやること」に意味を見出す「人間中心の社会」という考えが大きくなっていくのではないかと思います。

技術を持っている人、そうでなくとも何か技術を使って何かを変えたいと思う人にとって、これはチャンスです。生成AIという技術で、人類史上の歴史に刻まれるであろう大きな変化が起こっているなか、そこに直接関われる機会が山ほどあります。

単に生成AIのサービスの新しい使い方、有益な使い方を模索するのもいいでしょう。ChatGPTのAPIやオープンソースの生成AIモデルなどの誰でも使える公開技術を使って、新しい何かをつくるのはもっと楽しいかもしれません。起業をしてもいいですし、現在の自分のいる場所で何かを変えるために使ってみるだけでもいいので、ぜひ生成AIという技術を体験してみてください。

生成AIという技術の使われ方に反発する方もいらっしゃるでしょう。ぜひその考えを表明し、行動してください（もちろん他者を害しない範囲で、です）。そのことが、将来のAIがさらに発展した社会で、機械ではなく人間にとって重要な何かを決める礎になるかもしれません。

最後に、本書が長くみなさんに参照されることを祈ります……というのが普通の締めの言葉だと思いますが、そうならなくてもかまいません。筆者としては、長期的に意味のある話題を選んだつもりですが、現在のAIの発展の速度とそれが及ぼす人間社会への影響は、筆者の想像を超えていくに違いありません。そして、逆説的ではありますが、実際にこの本がすぐに時代遅れになるという事態が起きたのであれば、それは本書の伝えたい「生成ＡＩが世界を変える」というメッセージが、現実となったことを何よりも伝えているのです。

本書を執筆するにあたっては、ＡＩ研究の師であり東京大学における指導教員である松尾豊先生をはじめ、同じ松尾研究室の張鑫くん、弁護士の柿沼太一先生に、多くのアドバイスとサポートをいただきました。特に松尾先生には、本書に収録した対談をお引き受けいただいたほか、執筆や研究に関する相談など、あらゆる面でサポートしていただきました。この場を借りてお礼申し上げます。また、本書の企画をご提案いただき、執筆を支えていただいた編集者の大澤桃乃さんに感謝いたします。

2023年11月 紅葉が始まりつつある東京大学本郷キャンパスにて

今井翔太

arXiv:2312.11805, 2023
山本一成.『人工知能はどのようにして「名人」を越えたのか？』, ダイヤモンド社, 2017
愛知靖之, 前田健, 金子敏哉, 青木大也.『知的財産法（第２版）』, 有斐閣, 2023

参照サイトまとめ

Microsoft. “Bing Chat”, https://www.bing.com
Microsoft. “Microsoft 365”, https://www.microsoft.com/ja-jp/microsoft-365
AutoGPT official. “AutoGPT”, https://autogpt.net/
AgentGPT. “AgentGPT”, https://agentgpt.reworkd.ai/ja
Dreamtonics. “Synthesizer V”, https://dreamtonics.com/ja/synthesizerv/
Character Technologies Inc. “Character.ai”, https://beta.character.ai/
OpenAI. “GPTBot”, https://platform.openai.com/docs/gptbot

本書で使用した生成AIまとめ

・ChatGPT/GPT-4：第1章, 第2章の引用文
・ChatGPT/GPT-4V：図1-3
——OpenAI. “ChatGPT”, https://chat.openai.com
——OpenAI. “ChatGPT Plugins”, https://openai.com/blog/chatgpt-plugins
・Stable Diffusion：図1-4
——Stability AI. “Stable Diffusion”, https://ja.stability.ai/stable-diffusion
・Midjourney：図1-1, 図1-2, 図1-5, 図2-5
——Midjourney. “Midjourney”, https://www.midjourney.com
・GitHub Copilot：図3-7
——GitHub. “GitHub Copilot”, https://github.com/features/copilot
・AIいらすとや：図4-3
——AI Picasso Inc. “AIいらすとや”, https://aisozai.com/irasutoya

com/2022/03/Search-AI.html
Forbes.『トランプのフェイク写真が拡散, 見破る方法は？』, https://forbesjapan.com/articles/detail/61956, 2023
柿沼太一.『「生成AIと著作権侵害」の論点についてとことん検討してみる』, https://storialaw.jp/blog/9748, 2023
文化庁. "AIと著作権", https://www.bunka.go.jp/seisaku/chosakuken/pdf/93903601_01.pdf, 2023
鎌田広毅.『地球の歴史』, 中央公論新社, 2016
D. Christian. "Origin Story : A Big History of Everything", Little, Brown Spark, 2018（柴田裕之　訳.『オリジン・ストーリー　138億年全史』, 筑摩書房, 2019）
Y. N. Harari. "Sapiens: A Brief History of Humankind", Vintage, 2015（柴田裕之訳.『サピエンス全史』, 河出書房新社, 2016）
Y. N. Harari. "Homo Deus: A Brief History of Tomorrow", Vintage, 2016（柴田裕之訳.『ホモ・デウス　テクノロジーとサピエンスの未来』, 河出書房新社, 2018）
篠田謙一.『人類の起源』, 中央公論新社, 2022
K. Kelly. "What Technology Wants", Penguin Books, 2011（服部桂　訳.『テクニウム　テクノロジーはどこへ向かうのか？』, みすず書房, 2014）
J. M. Diamond. "The Third Chimpanzee : The Evolution and Future of the Human Animal", Harper Perennial, 2006（長谷川眞理子, 長谷川寿一　訳.『第三のチンパンジー』, 日経BP 日本経済新聞出版, 2022）
A. Parker. "In The Blink Of An Eye : How Vision Sparked The Big Bang Of Evolution", Basic Books, 2004（渡辺政隆, 今西康子訳.『眼の誕生――カンブリア紀大進化の謎を解く』, 草思社, 2006）
N. Bostrom. "Superintelligence : Paths, Dangers, Strategies", Oxford University Press, 2014 （倉骨彰訳.『スーパーインテリジェンス　超絶AIと人類の未来』, 日経BPマーケティング, 2017）
R. Kurzweil. "The Singularity Is Near : When Humans Transcend Biology", Duckworth, 2010（井上健, 小野木明恵, 福田実訳.『シンギュラリティは近い　人類が生命を超越するとき』, NHK出版, 2016）
内閣府.『AI戦略会議』, https://www8.cao.go.jp/cstp/ai/ai_senryaku/ai_senryaku.html, 2023
Google, "Gemini: A Family of Highly Capable Multimodal Models",

Subject-Driven Generation", arXiv:2208.12242, 2023

Adobe.『Adobe Firefly–誰でも使える生成AI』, https://www.adobe.com/jp/sensei/generative-ai/firefly.html

Business Insider Japan.『Netflixが「画像生成AIでアニメ制作」してわかったAIの限界…『犬と少年』で挑戦したもの』, https://www.businessinsider.jp/post-265291, 2023

日経XTech.『建築家の隈研吾氏「自分を超えるために生成AIを使う、藤井聡太名人のように」』, https://xtech.nikkei.com/atcl/nxt/column/18/02449/053000006/, 2023

C. Moruzzi. "Should Human Artists Fear AI? A Report on the Perception of Creative AI", XCoAx 2020: Proceedings of the Eighth Conference on Computation, Communication, Aesthetics & X, 2020

L. Bellaiche, R. Shahi, M. H. Turpin, A. Ragnhildstveit, S. Sprockett, N. Barr, A. P. Christensen, P. Seli. "Humans vs. AI : Whether and why we prefer human-created compared to AI-created artwork", PsyArXiv, DOI: 10.31234/osf.io/f9upm, 2023

A. Zhavoronkov, Y. A. Ivanenkov, A. Aliper, M. S. Veselov, V. A. Aladinskiy, A. V. Aladinskaya, V. A. Terentiev, D. A. Polykovskiy, M. D. Kuznetsov, A. Asadulaev, Y. Volkov, A. Zholus, R. R. Shayakhmetov, A. Zhebrak, L. I. Minaeva, B. A. Zagribelnyy, L. H. Lee, R. Soll, D. Madge, L. Xing, T. Guo, A. Aspuru-Guzik. "Deep learning enables rapid identification of potent DDR1 kinase inhibitors", Nature Biotechnology, Vol.37, pp. 1038-1040, 2019

Qingyun Wu, Gagan Bansal, Jieyu Zhang, Yiran Wu, Beibin Li, Erkang Zhu, Li Jiang, Xiaoyun Zhang, Shaokun Zhang, Jiale Liu, Ahmed Hassan Awadallah, Ryen W White, Doug Burger, Chi Wang. "AutoGen: Enabling Next-Gen LLM Applications via Multi-Agent Conversation", arXiv:2308.08155, 2023

〈第5章〉

J. Ding, S. Ma, L. Dong, X. Zhang, S. Huang, W. Wang, N. Zheng, F. Wei. "LongNet : Scaling Transformers to 1,000,000,000 Tokens", arXiv:2307.02486, 2023

Google Japan Blog.『Google検索を支えるAI技術』, https://japan.googleblog.

Question Answering with Large Language Models", arXiv:2305.09617, 2023

Zhiheng Xi, Wenxiang Chen, Xin Guo, Wei He, Yiwen Ding, Boyang Hong, Ming Zhang, Junzhe Wang, Senjie Jin, Enyu Zhou, Rui Zheng, Xiaoran Fan, Xiao Wang, Limao Xiong, Yuhao Zhou, Weiran Wang, Changhao Jiang, Yicheng Zou, Xiangyang Liu, Zhangyue Yin, Shihan Dou, Rongxiang Weng, Wensen Cheng, Qi Zhang, Wenjuan Qin, Yongyan Zheng, Xipeng Qiu, Xuanjing Huang, Tao Gui. "The Rise and Potential of Large Language Model Based Agents: A Survey", arXiv:2309.07864, 2023

〈第 4 章〉

Z. Epstein, A. Hertzmann, M. Akten, et al. "Art and the science of generative AI", Science, Vol. 380, No. 6650, pp. 1110-1111, 2023

徳井直生.『創るためのAI 機械と創造性のはてしない物語』, ビー・エヌ・エヌ, 2021

柴那典.『初音ミクはなぜ世界を変えたのか?』, 太田出版, 2014

W. ベンヤミン（浅井健二郎編訳, 久保哲司訳）「複製技術時代の芸術作品」『ベンヤミン・コレクションⅠ 近代の意味』, ちくま学芸文庫, 1995

S. K. Langer. "Problems of Art", Scribner, 1957（池上保太, 矢野万里訳『芸術とは何か』, 岩波書店, 1967）

L. Zhang, A. Rao, M. Agrawala. "Adding Conditional Control to Text-to-Image Diffusion Models", arXiv:2302.05543, 2023

CoeFont.『AIひろゆき』, https://hiroyuki.coefont.cloud/ai_hiroyuki, 2023

石川県.『AI石川県知事 デジヒロシ』, https://www.pref.ishikawa.lg.jp/digi_hiroshi/index.html, 2023

MoguLive.『AIとVTuberの現在地-AITuberとは何か?』, https://www.moguravr.com/what-is-aituber/, 2023

Rootport.『サイバーパンク桃太郎』, バンチコミックス, 2023

E. J. Hu, Y. Shen, P. Wallis, Z. Allen-Zhu, Y. Li, S. Wang, L. Wang, W. Chen. "LoRA : Low-Rank Adaptation of Large Language Models", International Conference on Learning Representations, 2022

N. Ruiz, Y. Li, V. Jampani, Y. Pritch, M. Rubinstein, K. Aberman. "DreamBooth : Fine Tuning Text-to-Image Diffusion Models for

C. B. Frey, M. A. Osborne. “The future of employment: How susceptible are jobs to computerisation?”, Technological Forecasting and Social Change, Vol. 114, doi : 10.1016/j.techfore.2016.08.019, 2013.

M. Polanyi, A. Sen. “The Tacit Dimension”, University of Chicago Press, 2009（髙橋勇夫訳.『暗黙知の次元』, 筑摩書房, 2003）

H. Moravec. “Mind Children”, Harvard University Press, 1988

Mckinsey & Company. “The Economic potential of generative AI”, https://www.mckinsey.com/capabilities/mckinsey-digital/our-insights/the-economic-potential-of-generative-ai-the-next-productivity-frontier, 2023

E. Brynjolfsson, A. McAfee. “Race Against The Machine”, Digital Frontier Press, 2011（村井章子訳.『機械との競争』, 日経BP, 2013）

カール・マルクス（岡崎次郎訳）『資本論』, 大月書店, 1972

E. Brynjolfsson, D. Li, L. Raymond. “Generative AI at Work”, arXiv:2304.11771, 2023

S. Noy, W. Zhang. “Experimental evidence on the productivity effects of generative artificial intelligence”, Science, Vol. 381, No. 6654, pp. 187-192, 2023

S. Peng, E. Kalliamvakou, P. Cihon, M. Demirer. “The Impact of AI on Developer Productivity: Evidence from GitHub Copilot”, arXiv:2302.06590, 2023

M. Chen, J. Tworek, H. Jun, et al. “Evaluating Large Language Models Trained on Code”, arXiv:2107.03374, 2021.

Autores. “AUTORES”, https://www.autores.one/home, 2023

Insilico Medicine. “First Generative AI Drug Begins Phase II Trials with Patients”, https://insilico.com/blog/first_phase2, 2023

J. Kaddour, J. Harris, M. Mozes, H. Bradley, R. Raileanu, R. McHardy. “Challenges and Applications of Large Language Models”, arXiv:2307.10169, 2023

文部科学省.『生成AIの利用について』, https://www.mext.go.jp/a_menu/other/mext_02412.html, 2023

文部科学省.『大学・高専における生成AIの教学面の取扱いについて』, https://www.mext.go.jp/kaigisiryo/content/000245316.pdf, 2023

K. Singhal, T. Tu, J. Gottweis, et al. “Towards Expert-Level Medical

D. P. Kingma, M. Welling, “Auto-Encoding Variational Bayes”, arXiv:1312.6114, 2022

A. Radford, J. W. Kim, C. Hallacy, A. Ramesh, G. Goh, S. Agarwal, G. Sastry, A. Askell, P. Mishkin, J. Clark, G. Krueger, I. Sutskever. “Learning Transferable Visual Models From Natural Language Supervision”, Proceedings of the 38th International Conference on Machine Learning, pp. 8748-8763, 2021

DAIR.AI. “Prompt Engineering Guide”, https://www.promptingguide.ai/, 2023

岡野原大輔.『拡散モデル　データ生成技術の数理』, 岩波書店, 2023

井尻善久, 牛祥孝, 片岡裕雄, 藤吉弘亘 編.『コンピュータビジョン最前線 Summer 2023　生成AI』, 共立出版, 2023

J. Ho, W. Chan, C. Saharia, J. Whang, R. Gao, A. Gritsenko, D. P. Kingma, B. Poole, M. Norouzi, D. J. Fleet, T. Salimans. “Imagen video : High definition video generation with diffusion models”, arXiv:2210.02303, 2022

J. Kim, J. Kong, J. Son. “Conditional Variational Autoencoder with Adversarial Learning for End-to-End Text-to-Speech”, Proceedings of the 38th International Conference on Machine Learning, pp. 5530-5540, 2021

M. Le, A. Vyas, B. Shi, B. Karrer, L. Sari, R. Moritz, M. Williamson, V. Manohar, Y. Adi, J. Mahadeokar, W. Hsu. “Voicebox : Text-Guided Multilingual Universal Speech Generation at Scale”, arXiv:2306.15687, 2023

Lei Wang, Chen Ma, Xueyang Feng, Zeyu Zhang, Hao Yang, Jingsen Zhang, Zhiyuan Chen, Jiakai Tang, Xu Chen, Yankai Lin, Wayne Xin Zhao, Zhewei Wei, Ji-Rong Wen . “A Survey on Large Language Model based Autonomous Agents”, arXiv: 2308.11432, 2023

〈第3章〉

C. B. Frey. “The Technology Trap: Capital, Labor, and Power in the Age of Automation”, Princeton University Press, 2019（村井章子, 大野一 訳.『テクノロジーの世界経済史　ビル・ゲイツのパラドックス』, 日経BP, 2020）

L. Ouyang, J. Wu, X. Jiang, D. Almeida, C. Wainwright, P. Mishkin, C. Zhang, S. Agarwal, K. Slama, A. Ray, J. Schulman, J. Hilton, F. Kelton, L. Miller, M. Simens, A. Askell, P. Welinder, P. F. Christiano, J. Leike, R. Lowe. "Training language models to follow instructions with human feedback", Advances in Neural Information Processing Systems, pp. 27730-27744, 2022

R. Sutton, A. Barto. "Reinforcement Learning: An Introduction, Second Edition", Bradford Books, 2018（奥村エルネスト純, 鈴木雅大, 松尾豊, 三上貞芳, 山川宏, 今井翔太, 川尻亮真, 菊池悠太, 鮫島和行, 陣内佑, 髙橋将文, 谷口尚平, 藤田康博, 前田新一, 松嶋達也　訳.『強化学習　第2版』, 森北出版, 2022）

岡﨑直観, 荒瀬由紀, 鈴木潤, 鶴岡慶雅, 宮尾祐介.『IT Text 自然言語処理の基礎』, オーム社, 2022

岡野原大輔.『大規模言語モデルは新たな知能か　ChatGPTが変えた世界（岩波科学ライブラリー）』, 岩波書店, 2023

T. Brown, B. Mann, N. Ryder, et al. "Language Models are Few-Shot Learners", Advances in Neural Information Processing Systems, Vol. 33, pp. 1877-1901, 2020

A. Vaswani, N. Shazeer, N. Parmar, J. Uszkoreit, L. Jones, A. N. Gomez, L. Kaiser, I. Polosukhin. "Attention is All you Need", Advances in Neural Information Processing Systems, pp. 6000-6010, 2017

J. Kaplan, S. McCandlish, T. Henighan, T. B. Brown, B. Chess, R. Child, S. Gray, A. Radford, J. Wu, D. Amodei. "Scaling Laws for Neural Language Models", arXiv:2001.08361, 2020

T. Kojima, S. Gu, M. Reid, Y. Matsuo, Y. Iwasawa. "Large Language Models are Zero-Shot Reasoners", Advances in Neural Information Processing Systems, pp. 22199-22213, 2022

J. Ho, A. Jain, P. Abbeel. "Denoising Diffusion Probabilistic Models", Advances in Neural Information Processing Systems, pp. 6840-6851, 2020

T. Karras, S. Laine, T. Aila. "A Style-Based Generator Architecture for Generative Adversarial Networks", Proceedings of the IEEE/CVF Conference on Computer Vision and Pattern Recognition（CVPR）, June 2019

soumu.go.jp/main_content/000900471.pdf, 2023
東京大学大学院工学系研究科. “東大×生成AIシンポジウム 生成AIが切り拓く未来と日本の展望”, https://www.t.u-tokyo.ac.jp/ev2023-07-04, 2023
Forbes Japan.『米IBM、AIで代替可能な職種の採用打ち切りへ　労働者への脅威早くも現実に』, https://forbesjapan.com/articles/detail/62893, 2023
Rest of world. “AI is already taking video game illustrators' jobs in China”, https://restofworld.org/2023/ai-image-china-video-game-layoffs/, 2023
SAG-AFTRA. “ONSTRIKE!”, https://www.sagaftrastrike.org/
A. Toffler. “The Third Wave”, Bantam Books, 1981（徳岡孝夫 訳.『第三の波』, 中央公論新社, 1982）
中島秀之, 浅田稔, 橋田浩一, 松原仁, 山川宏, 栗原聡, 松尾豊, 他.『AI事典第3版』, 近代科学社, 2019
人工知能学会.『人工知能学大事典』, 共立出版, 2017
石川冬樹, 丸山宏, 柿沼太一, 竹内広宜, 土橋昌, 中川裕志, 原聡, 堀内新吾, 鷲崎弘宜.『機械学習工学』, 講談社, 2022
OpenAI. “Governance of superintelligence”, https://openai.com/blog/governance-of-superintelligence, 2023
REUTERS.『ＡＩ想定より速く人知超える公算、危険性語るためグーグル退社＝ヒントン氏』, https://jp.reuters.com/article/tech-ai-hinton-idJPKBN2WT19X, 2023
Sébastien Bubeck, Varun Chandrasekaran, Ronen Eldan, Johannes Gehrke, Eric Horvitz, Ece Kamar, Peter Lee, Yin Tat Lee, Yuanzhi Li, Scott Lundberg, Harsha Nori, Hamid Palangi, Marco Tulio Ribeiro, Yi Zhang . “Sparks of Artificial General Intelligence: Early experiments with GPT-4”, arXiv:2303.12712, 2023

〈第２章〉
松尾豊.『人工知能は人間を超えるか』, KADOKAWA, 2015
甘利俊一.『脳・心・人工知能』, 講談社, 2016
OpenAI. “Introducing ChatGPT”, https://openai.com/blog/chatgpt, 2022
今井翔太.『ChatGPT 人間のフィードバックから強化学習した対話AI』, https://speakerdeck.com/imai_eruel/chatgpt-imai, 2023

Animate Your Personalized Text-to-Image Diffusion Models without Specific Tuning", arXiv:2307.04725, 2023

J. Copet, F. Kreuk, I. Gat, T. Remez, D. Kant, G. Synnaeve, Y. Adi, A. Défossez. "Simple and Controllable Music Generation", arXiv:2306.05284, 2023

F. Kreuk, G. Synnaeve, A. Polyak, U. Singer, A. Défossez, J. Copet, D. Parikh, Y. Taigman, Y. Adi. "AudioGen : Textually Guided Audio Generation", arXiv:2209.15352, 2023

Meta AI. "AudioCraft : AI research for audio", https://audiocraft.metademolab.com/, 2023

H. Jun, A. Nichol. "Shap-E : Generating Conditional 3D Implicit Functions", arXiv:2305.02463, 2023

J. Kasai, Y. Kasai, K. Sakaguchi, Y. Yamada, D. Radev. "Evaluating GPT-4 and ChatGPT on Japanese Medical Licensing Examinations", arXiv:2303.18027, 2023

T. H. Kung, M. Cheatham, ChatGPT, A. Medenilla, C. Sillos, L. D. Leon, C. Elepaño, M. Madriaga, R. Aggabao, G. Diaz-Candido, J. Maningo, V. Tseng. "Performance of ChatGPT on USMLE : Potential for AI-Assisted Medical Education Using Large Language Models", medRxiv, DOI : 10.1101/2022.12.19.22283643, 2022

T. Eloundou, S. Manning, P. Mishkin, D. Rock. "GPTs are GPTs : An Early Look at the Labor Market Impact Potential of Large Language Models", arXiv:2303.10130, 2023

The New York Times. "A New Chat Bot Is a 'Code Red' for Google's Search Business", https://www.nytimes.com/2022/12/21/technology/ai-chatgpt-google-search.html, 2022

CNN.『AI作品が絵画コンテストで優勝、アーティストから不満噴出』, https://www.cnn.co.jp/tech/35192929.html, 2022

BBC.『AI作成画像、有名写真コンテストで最優秀賞を獲得　作者は受賞辞退』, https://www.bbc.com/japanese/features-and-analysis-65308190, 2023

東京大学 utelecon. "AIツールの授業における利用について（ver. 1.0)", https://utelecon.adm.u-tokyo.ac.jp/docs/ai-tools-in-classes, 2023

総務省.『G7広島AIプロセス G7デジタル・技術閣僚声明』, https://www.

参考文献

〈第 1 章〉

OpenAI. "GPT-4 Technical Report", arXiv:2303.08774, 2023

Stability AI. "Stable Diffusion", https://ja.stability.ai/stable-diffusion, 2023

R. Rombach, A. Blattmann, D. Lorenz, P. Esser, B. Ommer. "High-Resolution Image Synthesis With Latent Diffusion Models", Proceedings of the IEEE/CVF Conference on Computer Vision and Pattern Recognition（CVPR）, 10684-10695, 2022

Midjourney. "Midjourney", https://www.midjourney.com, 2023

T. Eloundou, S. Manning, P. Mishkin, D. Rock. "GPTs are GPTs : An Early Look at the Labor Market Impact Potential of Large Language Models", arXiv:2303.10130, 2023

I. Goodfellow, Y. Bengio, A. Courville. "Deep Learning", MIT Press, Cambridge, 2016,（岩澤有祐, 鈴木雅大, 中山浩太郎, 松尾豊, 味曽野雅史, 黒滝紘生, 保住純, 野中尚輝, 河野慎, 冨山翔司, 角田貴大 訳.『深層学習』, KADOKAWA, 2018）

C. M. Bishop. "Pattern Recognition and Machine Learning", Springer, 2006（元田浩, 栗田多喜夫, 樋口知之, 松本裕治, 村田昇　訳.『パターン認識と機械学習 上・下』, 丸善出版, 2012）

OpenAI. "GPT-4 Developer Livestream", https://www.youtube.com/watch?v=outcGtbnMuQ&t=461s, 2023

Z. Zhang, L. Zhou, C. Wang, S. Chen, Y. Wu, S. Liu, Z. Chen, Y. Liu, H. Wang, J. Li, L. He, S. Zhao, F. Wei. "Speak Foreign Languages with Your Own Voice : Cross-Lingual Neural Codec Language Modeling", arXiv:2303.03926, 2023

Microsoft. "VALL-E（X）A neural codec language model for speech synthesis", https://www.microsoft.com/en-us/research/project/vall-e-x/, 2023

Runway Research. "Gen-2: The Next Step Forward for Generative AI", https://research.runwayml.com/gen2, 2023

Y. Guo, C. Yang, A. Rao, Y. Wang, Y. Qiao, D. Lin, B. Dai. "AnimateDiff :

SB新書

その「一言」が子どもの脳をダメにする　成田奈緒子　上岡勇二

世界最高峰の研究者たちが予測する未来　山本康正

眼科医が警告する視力を失わないために今すぐやめるべき39のこと　平松類

超一流の思考法　鶴岡慎也

境界知能の子どもたち　宮口幸治

現代史は地理から学べ　宮路秀作

犯罪心理学者は見た危ない子育て　出口保行

「ダメ子育て」を科学が変える！全米トップ校が親に教える57のこと　星友啓

この国の同調圧力　山崎雅弘

植物に死はあるのか　稲垣栄洋

著者略歴
今井翔太（いまい・しょうた）
1994年、石川県金沢市生まれ。東京大学大学院工学系研究科技術経営戦略学専攻松尾研究室に所属。博士（工学、東京大学）。人工知能分野における強化学習の研究、特にマルチエージェント強化学習の研究に従事。ChatGPT登場以降は、大規模言語モデル等の生成AIにおける強化学習の活用に興味を持つ。著書に『深層学習教科書 ディープラーニングG検定（ジェネラリスト）公式テキスト 第2版』（翔泳社）、『AI白書2022』（角川アスキー総合研究所）、訳書にR. Sutton著『強化学習（第2版）』（森北出版）など。

公式サイト　http://www.shota-imai.com/

SB新書　642

生《せい》成《せい》AIで世《せ》界《かい》はこう変《か》わる

2024年 1 月15日　初版第 1 刷発行
2024年11月 8 日　初版第13刷発行

著　　者　今《いま》井《い》翔《しょう》太《た》
発 行 者　出井貴完
発 行 所　SBクリエイティブ株式会社
〒105-0001　東京都港区虎ノ門2-2-1
装　　丁
本文デザイン　杉山健太郎
D T P
目次・章扉　株式会社ローヤル企画
校　　正　有限会社あかえんぴつ
特別協力　松尾 豊（東京大学）
編集協力　甲斐ゆかり（有限会社サード・アイ）
木下 衛
編　　集　大澤桃乃（SBクリエイティブ）
印刷・製本　中央精版印刷株式会社

本書をお読みになったご意見・ご感想を下記URL、
または左記QRコードよりお寄せください。
https://isbn2.sbcr.jp/22978/

落丁本、乱丁本は小社営業部にてお取り替えいたします。定価はカバーに記載されております。
本書の内容に関するご質問等は、小社学芸書籍編集部まで必ず書面にて
ご連絡いただきますようお願いいたします。

ISBN　978-4-8156-2297-8